Mediação de
conflitos na escola

CIP-BRASIL. CATALOGAÇÃO NA PUBLICAÇÃO
SINDICATO NACIONAL DOS EDITORES DE LIVROS, RJ

T642m

Torremorell, Maria Carme Boqué
  Mediação de conflitos na escola : modelos, estratégias e práticas / Maria Carme Boqué Torremorell ; [tradução Carlos S. Mendes Rosa]. - 1. ed. - São Paulo : Summus, 2021.
  176 p.

  Tradução de: La mediación va a la escuela : hacia un buen plan de convivencia en el centro
  Inclui bibliografia
  ISBN 978-65-5549-031-2

  1. Educação - Finalidades e objetivos. 2. Administração de conflitos. 3. Mediação. I. Rosa, Carlos S. Mendes. II. Título.

21-70151 CDD: 370.11
CDU: 37.017

Leandra Felix da Cruz Candido - Bibliotecária - CRB-7/6135

www.summus.com.br

Compre em lugar de fotocopiar.
Cada real que você dá por um livro recompensa seus autores
e os convida a produzir mais sobre o tema;
incentiva seus editores a encomendar, traduzir e publicar
outras obras sobre o assunto;
e paga aos livreiros por estocar e levar até você livros
para a sua informação e o seu entretenimento.
Cada real que você dá pela fotocópia não autorizada de um livro
financia o crime
e ajuda a matar a produção intelectual de seu país.

Mediação de conflitos na escola

MODELOS, ESTRATÉGIAS E PRÁTICAS

MARIA CARME BOQUÉ TORREMORELL

summus
editorial

Do original em língua espanhola
LA MEDIACIÓN VA A LA ESCUELA
Hacia un buen plan de convivencia en el centro
Copyright © 2018 by Narcea S. A. de Ediciones
Direitos desta tradução adquiridos por Summus Editorial Ltda.

Editora executiva: **Soraia Bini Cury**
Assistente editorial: **Michelle Campos**
Tradução: **Carlos S. Mendes Rosa**
Capa: **Studio DelRey**
Projeto gráfico e diagramação: **Crayon Editorial**

Summus Editorial
Departamento editorial
Rua Itapicuru, 613 – 7º andar
05006-000 – São Paulo – SP
Fone: (11) 3872-3322
http://www.summus.com.br
e-mail: summus@summus.com.br

Atendimento ao consumidor
Summus Editorial
Fone: (11) 3865-9890

Vendas por atacado
Fone: (11) 3873-8638
e-mail: vendas@summus.com.br

Impresso no Brasil

Sumário

PREFÁCIO À EDIÇÃO BRASILEIRA. 7

APRESENTAÇÃO 11

PARTE I. A MEDIAÇÃO COMO PROCESSO DE GESTÃO PACÍFICA DE CONFLITOS. 15

1 ORIGENS E PROPAGAÇÃO 17

2 DEFINIÇÃO E CARACTERÍSTICAS 21

3 MODELOS PRINCIPAIS E ÂMBITOS DE APLICAÇÃO 31

4 DESENVOLVIMENTO PASSO A PASSO DO PROCESSO DE MEDIAÇÃO . . . 36

5 PAPEL E PERFIL DO MEDIADOR 49

PARTE II. A PRÁTICA DA MEDIAÇÃO ESCOLAR E O PLANO DE CONVIVÊNCIA. 57

6 O CLIMA DE CONVIVÊNCIA 59

7 APOSTA NA CONVIVÊNCIA PACÍFICA 64

8 USO DA MEDIAÇÃO NA ESCOLA. 70

9 PROGRAMAS DE MEDIAÇÃO ESCOLAR 79

10 ESTRATÉGIAS DE MEDIAÇÃO NA EDUCAÇÃO INFANTIL E NOS ENSINOS FUNDAMENTAL E MÉDIO. 94

11 A INCORPORAÇÃO DA MEDIAÇÃO AO PLANO DE CONVIVÊNCIA . . . 113

PARTE III. O APRENDIZ DE MEDIADOR 121

12 PLANO DE FORMAÇÃO. 123

13 ATIVIDADES DE APRENDIZAGEM E PRÁTICA 131

14 AVALIAÇÃO, MANUTENÇÃO E EXPANSÃO. 165

BIBLIOGRAFIA 173

LINKS **ÚTEIS** 175

Prefácio à edição brasileira

NÃO CONHEÇO MARIA CARME Boqué Torremorell, autora desta obra, de forma que, tendo gostado e aprendido muito com a leitura, nasceu em mim a vontade de lhe dedicar uma carta-prefácio. Uma escrita afetuosa entre duas mulheres, facilitadoras de processos restaurativos, educadoras e, acima de tudo, desejosas de relações mais respeitosas e solidárias em um país profundamente desigual e violento.

Há pouco tempo, reli *Educação como prática para a liberdade*, escrito pelo também educador brasileiro Paulo Freire e publicado em 1967 pela editora Paz e Terra. Trata-se de um livro que aborda nossa inexperiência democrática. Vivíamos – e vivemos – em uma cultura ainda da casa-grande, do senhorio dono de terras rurais e urbanas, dos desmandos e da violência como forma de controle e mediação social. Somos, mulheres e homens brasileiros, impregnados por um autoritarismo que, como nos diz Freire, afrouxa, diminui a nossa capacidade de decisão sobre a nossa vida e sobre a vida da coletividade.

As instituições no Brasil, ainda que certamente muito diversas, guardam traços autoritários fundados em uma profunda hierarquia de saberes, práticas e pessoas. Nos enganamos ao pensar que o retributismo e o punitivismo alicerçam apenas o sistema de justiça penal brasileiro – que ocupa o terceiro lugar no *ranking* mundial em números absolutos de mulheres e homens presos.

Penso que este livro deve ser visto com base nesse amplo debate, pois retoma, pelo ângulo da mediação, a longa e permanente tentativa de democratizar a educação no Brasil. As práticas de mediação na escola têm a qualidade de ser, por si sós, um fazer democrático e vivencial que pode contribuir com a construção de uma cidadania crítica, dialógica e menos violenta.

O seu livro, Maria Torremorell, é um convite prático para mergulhar nessa travessia em um barco denominado "mediação de conflitos". Essa imagem é, para mim, precisa porque o destino da nossa rota é exatamente o aprofundamento da nossa experiência democrática – que deve se opor à punição e ao castigo como um método pedagógico em nossas unidades educacionais.

A mediação de conflitos por você descrita é profundamente pedagógica e ética. É também transformadora: no âmbito pessoal, relacional e social. Isso porque você nos aponta um horizonte amplo e muito maior do que a costumeira redução das práticas de mediação a uma simples técnica. O livro, em verdade, tem o grande mérito de apresentar, de forma detalhada e prática, um roteiro bastante completo para que os múltiplos sujeitos que ocupam as unidades educacionais reflitam sobre e implementem programas de mediação de conflitos. Contudo, você relaciona esse fazer a um conjunto principiológico comprometido com a nossa democratização – que tem como cerne homens e mulheres e, também, crianças e adolescentes, donos de seu destino, sujeitos conscientes de suas ações e capazes de exercer a escuta e o diálogo como fontes preciosas de convivência.

Aprender fazendo, participar participando, dialogar dialogando, pacificar pacificando: são essas as práticas apontadas para construir um clima seguro de aprendizado para alunos, alunas, professores e demais trabalhadores e trabalhadoras das escolas. Há também algo muito interessante em sua obra: os caminhos que incluem uma prática cooperativa intergeracional. Entre os modelos de implementação de práticas de mediação na escola, ressalta-se aquele em que familiares, alunos e docentes, entre outros, integram conjuntamente um programa em posição de igualdade e cooperação. Ainda que digamos, hoje, que a criança e o adolescente são sujeitos de direto, na prática há muito que caminhar. E este livro trilha essa direção.

Nesse contexto pandêmico que atravessamos – com tantas perdas, desordens e sofrimentos –, tem renascido, com força e grande polissemia, o debate sobre o papel da escola e os próprios contornos e desafios do nosso modelo escolar e de suas desigualdades e violências. Por isso, agradeço pelos aprendizados práticos e por me lembrar de que o mais importante, matéria-prima das práticas restaurativas, somos nós, pessoas, que devem ser tratadas com todo cuidado e dignidade.

Um abraço fraterno,

Mariana Pasqual Marques
Facilitadora de práticas restaurativas e coordenadora
do Centro de Direitos Humanos e Educação Popular
de Campo Limpo (CDHEP)

Apresentação

EMBORA A MEDIAÇÃO, como processo de gestão pacífica de conflitos, não tenha nascido na escola, quando entra no ambiente educacional se enraíza rapidamente graças ao seu enorme potencial pedagógico.

O objetivo da mediação escolar é contribuir para estruturar um clima de relacionamento construtivo, seguro e saudável, a fim de que todos possam experimentar a proteção e o afeto que lhes permitirão arriscar-se, dia após dia, a fazer algo que desconhecem, para aprender algo novo.

Assim, a incorporação da mediação ao plano de convivência da escola interfere na formação pessoal e social de cada aluno, como membro ativo e valioso da comunidade educacional, por meio do desenvolvimento de competências de relacionamento para toda a vida. Não à toa, são os próprios meninos e meninas, principalmente, que, envolvendo-se e demonstrando seu compromisso com o bem-estar comum, tomam as rédeas e assumem ou papel de mediadores na escola.

Porém, o mais notável da mediação talvez seja sua utilidade prática em curto prazo. Sem dúvida, ela é aplicada com sucesso à prevenção e à solução imediata de todos os tipos de problema, afastando os danos causados por conflitos ignorados, malconduzidos ou não resolvidos – e os episódios violentos que costumam gerar – e devolvendo ao ambiente a serenidade e a harmonia.

São incontáveis os estudos efetuados tanto na Espanha quanto internacionalmente que apresentam resultados altamente positivos do investimento em mediação escolar, sejam referentes à pacificação do clima da instituição, ao aproveitamento do tempo escolar – com o consequente aumento dos resultados de aprendizagem –, ao desenvolvimento e à aquisição de múltiplas competências individuais, ao aumento da consciência de grupo, à solidariedade entre colegas, ao fortalecimento docente, à participação das famílias ou à prevenção da violência.

Por outro lado, percebe-se que um bom número de programas de mediação foi aplicado de maneira simplificada e precária e sustentado por uma formação elementar e recursos escassos. Limitam-se a um tipo de mediação *sui generis* muito diluída, que explora de maneira restrita esse mecanismo de gestão positiva de conflitos, o qual, além de resolver problemas interpessoais, deve educar e preparar as pessoas que dele participam para que sejam capazes de enfrentá-los em paz ao longo da vida.

Assim, neste livro, vamos acompanhar a mediação para que, além de ser levada à escola, ela se desenvolva ao máximo e cresça até alcançar plenamente seu verdadeiro potencial.

Começaremos expondo com rigor os fundamentos da mediação em geral. A seguir, exploraremos sua especificidade no contexto educacional, passando por seus diferentes ciclos (infantil, fundamental e médio) e fornecendo recursos práticos para sua aplicação na escola; encerraremos com um capítulo dedicado à formação de mediadores.

A primeira parte tem caráter introdutório e os conceitos abordados são comuns a qualquer tipo de mediação. São explorados a evolução, as características fundamentais e os elementos provenientes das correntes mais significativas, além de se apresentarem os diferentes campos de aplicação da mediação. Depois, descreve-se cada uma das fases do processo, destacando seus objetivos e aspectos cruciais, bem como as qualidades que os bons mediadores devem reunir.

O objetivo dessa parte inicial é apresentar a mediação aos indivíduos da esfera educacional (professores, famílias, alunos, pessoal administrativo e de serviços) que, não sendo mediadores profissionais, desejem aproximar-se desse instrumento de gestão positiva da coexistência para colocá-lo em prática de modo amador. No entanto, deve-se notar que esse uso "natural" da mediação tem um valor incalculável como contribuição social para uma cultura enraizada na paz cotidiana, que luta, portanto, pelos direitos de todas as pessoas com recursos que permitem avançar para um mundo mais civilizado.

A segunda parte já se dedica à mediação na escola, destacando sua especificidade, não sem antes explorar a necessidade de haver um bom clima de convivência e apostar nas relações pacíficas na comunidade escolar. Essa segunda parte trata da aplicação da mediação à escola, esclarecendo seus objetivos, as etapas de sua implementação e os diferentes tipos de programas de mediação escolar existentes. Também são mencionadas as experiências de referência com alunos dos três ciclos, que podem ser inspiradoras e indicadoras de qualidade para avaliar a mediação na escola. Por fim, traça-se um roteiro para que se incorpore a mediação ao plano de coexistência da instituição e se visualizem os requisitos e as condições para seu sucesso.

A terceira parte é dedicada à capacitação de mediadores e mediadoras escolares, detalhando o plano de formação: objetivos, competências, conteúdos, metodologias, atividades, prática e avaliação. Sua finalidade principal é fornecer instrumentos às escolas que desejem implementar a mediação escolar. A formação contínua de mediadores e mediadoras é indispensável para uma mediação de qualidade, com a particularidade de que a passagem dos alunos pelo sistema educacional é sempre restrita a um intervalo de tempo e, portanto, os mediadores escolares devem ser renovados periodicamente.

PARTE I

A mediação como processo de gestão pacífica de conflitos

"A mediação é um processo imperfeito que utiliza uma terceira pessoa imperfeita para ajudar duas pessoas imperfeitas a chegar a um acordo imperfeito em um mundo imperfeito."
Lenard Marlow

1. Origens e propagação

A IMPLEMENTAÇÃO DA MEDIAÇÃO em qualquer contexto fica melhor quando se tem um bom conhecimento do sentido e do significado desse processo, de como surgiu e por que chegou aos nossos dias.

Ao determinar quando a mediação apareceu para gerir conflitos, a maioria dos autores reporta-se às origens da humanidade, já que onde há vida há conflito e, portanto, a necessidade de enfrentá-lo.

Considera-se em geral que a mediação surgiu simultaneamente em locais distintos do mundo como ritual para dirimir conflitos cotidianos na comunidade. A participação de uma pessoa respeitada como condutora do caso visa sempre a um fim duplo: garantir que a controvérsia seja amistosa e assegurar que a questão se resolva de maneira justa.

A primeira coisa que chama a atenção é, assim, a clara consciência e intenção da mediação de representar uma comunidade (não um indivíduo) que se mostra acolhedora e inclusiva com todos os seus membros e os protege perante qualquer circunstância ou dificuldade que a vida em comum possa implicar.

O segundo ponto a destacar seria, sem dúvida, o forte compromisso de quem assume a posição de mediador a fim de obter um bom acordo, isto é, uma saída para o conflito que satisfaça as necessidades de ambos os oponentes (não se trata de dar razão a uns ou outros ou tirá-la) e tenha consequências construtivas ao redor.

Em terceiro lugar, o fato de as pessoas em conflito recorrerem ao mediador para solicitar seu apoio demonstra a vontade de cada uma de fazer parte da solução e não somente do conflito (não participam nem por obrigação nem por pressão).

À medida que as sociedades evoluem e se tornam mais complexas, o recurso de recorrer a um tribunal passa a estar ao alcance da maioria dos cidadãos, que deixam de lado as práticas tradicionais diante das garantias que, supostamente, um sistema de justiça igualitário baseado em leis oferece.

Contudo, o ressurgimento ou a "reinvenção" da mediação como estratégia eficiente para enfrentar qualquer tipo de conflito tem sido provocado pelos inúmeros defeitos do sistema judiciário (lentidão, custo econômico, frieza no tratamento, subjetividade na aplicação das normas, recursos em razão do descumprimento de sentenças, politização etc.) e pelo exagero que implica deixar em suas mãos uma infinidade de conflitos que afetam de maneira muito pessoal a família, a vizinhança, o ambiente de trabalho etc. antes que se tente buscar uma solução por conta própria.

Costuma-se considerar que a América do Norte foi para onde convergiram, na década de 1970, diversos movimentos sociais, religiosos, pacifistas e sindicais que, desconfiando da capacidade do governo de impor justiça e proporcionar segurança à cidadania, voltaram-se para o diálogo e sobretudo para soluções autocompositivas de aplicação da justiça. O termo "autocompositivo" indica que cada pessoa representa a si mesma, reavendo o poder de expor seu ponto de vista e suas necessidades em vez de perder tais liberdades delegando-as a advogados e juízes.

Em nosso contexto, a mediação ganhou impulso até os anos 1990 pelas mãos de pessoas formadas na América do Norte e na América Latina ou participantes de seminários ministrados por especialistas internacionais. Então, surgiram experiências incipientes, criaram-se cursos de pós-graduação para capacitar mediadores, publicaram-se os primeiros artigos e manuais e passou-se a legislar a respeito da prática da mediação em certos locais, ainda que apenas em 2012 se tenha promulgado na Espanha o primeiro decreto-lei federal de mediação.

Hoje, depois de superado seu completo desconhecimento pela sociedade, a mediação não para de crescer, alentada, sobretudo, pelas consequência da globalização em um planeta onde os conflitos cruzam fronteiras: existem conflitos comerciais que implicam vários países de uma vez, divórcios entre parceiros de origens geográficas e culturais muito diferentes ou problemas trabalhistas em empresas multinacionais, para citar poucos exemplos, que evidenciam a necessidade de uma solução justa, rápida e de mútuo acordo e encontram na mediação uma opção eficaz. Por isso a União Europeia lançou em 2008 uma diretriz que instava encarecidamente todos os seus estados-membros a proporcionar serviços de mediação aos cidadãos.

É óbvio que aqui não nos referimos à mediação em grande parte profissionalizada dos especialistas que complementaram seus estudos básicos com uma formação específica, juntaram-se e se veem sujeitos ao cumprimento de preceitos éticos e ao compromisso de formação continuada a fim de garantir uma boa práxis.

Entretanto, não nos esqueçamos de que a mediação também foi e continua sendo impulsionada e praticada na comunidade. Portanto, também existe uma mediação "natural" associada a uma maneira de entender as relações humanas segundo uma cultura de paz e promover o diálogo, a empatia, o consenso e, antes de tudo, o fortalecimento individual e social. Essa versão amadora da mediação ocorre tanto no âmbito individual, pelas mãos de pessoas que têm carisma e capacidade de liderança, como sob os auspícios de uma organização pela paz reconhecida nacional ou internacionalmente.

Trate-se de mediação profissional ou amadora, convém garantir que o processo esteja bem estruturado, baseie-se em conhecimentos sobre as relações interpessoais, o conflito e sua dinâmica, a comunicação, o poder etc. e disponha de uma "caixa de recursos" própria que aqueles que exercerão esse papel devem conhecer e dominar.

Quanto aos âmbitos da mediação, é interessante assinalar que ela vem se disseminando por espaços diferentes à medida que surgem novos conflitos. No início, talvez as mediações internacional, comunitária, familiar, intercultural e escolar estivessem entre as mais difundidas, mas também a penal, sanitária, econômica, imobiliária, ambiental, itinerante, policial e um longo etcétera configuram hoje um panorama ainda considerado emergente.

Por fim, vale a pena esclarecer, de início, que a mediação não é uma simples técnica de solução de conflitos ou um recurso acessório para exercer justiça, mas sim um mecanismo de transformação social e de construção da paz. Nesse sentido, a mediação confronta o conceito de justiça ainda defendido por muitas pessoas e organismos com base no "olho por olho, dente por dente", porque entende por solução não o castigo, mas sim a reparação. De modo análogo, a mediação não visa alcançar a paz à força, nem que os meios violentos proporcionem uma segurança real.

2. Definição e características

ANTES DE LANÇAR UM PROGRAMA de mediação, e para evitar confusões ou aplicações precárias, vale a pena parar e refletir sobre o que é e o que não é o processo de mediação. Costuma-se definir a mediação como um método alternativo de resolução de conflitos em que uma terceira pessoa neutra ajuda duas partes opostas a negociar um acordo de ganho mútuo. Ainda que essa seja a ideia, tal definição acaba sendo, como veremos, muito imprecisa.

Em primeiro lugar, a mediação é muito mais que um "método", porque não se define com técnicas, passos ou instrumentos, e sim de acordo com valores humanos como entendimento, solidariedade, compreensão, justiça, criatividade, reconciliação e paz. Vista assim, a mediação consiste em um processo, uma dinâmica, um ritual, um mecanismo, uma ação viva e complexa que não pode ser estereotipada.

Em segundo lugar, ela não é, na verdade, uma simples "alternativa" ao sistema de justiça estabelecido com base em normas e leis, já que tem sentido e lugar próprios. A mediação busca uma boa solução para todos, isto é: reparação e reconciliação. Muitas das respostas vindas do âmbito judicial se esquecem da vítima e impõem todo o peso ao infrator. Além disso, prescindem do contexto de onde surge o conflito e de como a situação afeta a comunidade. A mediação, ao contrário, é uma forma mais natural de administrar as disputas no lugar onde surgem.

Em terceiro lugar, também não se considera de todo adequada a palavra "solução". Em inglês, prefere-se o termo *settlement*, que não tem tradução precisa em castelhano, mas acrescenta um matiz muito interessante, indicando algo como apaziguamento, recuperação ou retorno à calma. Por isso é preferível falar de "transformação" do conflito, dando a entender que a solução alcançada é renovadora e abre caminho para as mudanças que favorecem o surgimento de novas realidades.

Em quarto lugar, prescrever a "neutralidade" do mediador parece chocante, porque, de um lado, é impossível manter-se neutro, já que todos têm uma carga de preconceitos, vivências, carências, preferências, valores etc., dos quais não se pode desligar-se facilmente; de outro, seria injusto manter a neutralidade perante duas partes opostas quando há entre elas uma grande diferença de poder, capacidade, conhecimento, recursos etc. É certo que os mediadores devem atuar "multiparcialmente", ou seja, preocupando-se com ambas as partes e dando-lhes a oportunidade de decidir por si mesmas, sem influenciá-las a nada.

Em quinto lugar, mediar não é o mesmo que "negociar". A negociação procura obter o máximo benefício possível para um lado na divisão daquilo que está em jogo (distribuição), enquanto a mediação visa satisfazer os interesses de ambas as partes de maneira produtiva (cooperação). Dito isso, cabe notar que existem estilos de negociação muito dirigidos, enquanto outros são colaborativos.

Levando em conta os esclarecimentos anteriores, podemos definir mediação como um processo formal de gestão pacífica de conflitos do qual participam ativamente os indivíduos envolvidos e outra pessoa de fora, que as acompanha na exploração do conflito, na comunicação entre si e na cooperação para buscar um acordo mutuamente satisfatório e livremente acordado.

A ideia de "processo" ajuda a compreender que a mediação é uma dinâmica. Assim como os conflitos, desde que se originam até o momento em que eclodem, têm um desdobramento (bem longo em certas ocasiões), as soluções não aparecem nem se criam num instante. Para que um conflito se reduza e se transforme, é necessário haver análise, reflexão, exploração, reconhecimento, empatia, compreensão, dor, aceitação, perdão, criação, cooperação, escolha, decisão, pacto, cumprimento e avaliação, no mínimo. Em caso contrário, estaríamos pondo um esparadrapo numa ferida aberta.

Cabe dizer que os processos de mediação bem encaminhados costumam ter uma duração relativamente curta e, em dois ou três encontros, situações complexas se esclarecem e dão lugar a acordos. Aí, sim, o processo de mediação não se torna improvisado, e por isso é classificado de "formal".

O termo "gestão" é atualmente ainda mais difundido do que "transformação", talvez porque não contrarie o ponto de vista da maioria dos modelos de mediação existentes. Gerir um conflito não significa nada mais que defrontá-lo e trabalhar com ele. Além disso, acrescentamos o adjetivo "pacífico" porque consideramos essencial ressaltar que a mediação jamais deveria inscrever-se numa questão dominada pelo binômio "culpado-inocente", no qual, no fundo, continua a prevalecer a necessidade de responder e pagar por um ato incorreto. Aqui, o que mudaria é que a reparação do dano não se impõe por um poder externo, pois é o suposto infrator ou infratora que decide voluntariamente solucionar o que fez e do modo que considere melhor.

A mediação inscreve-se no paradigma da justiça restaurativa (em contraposição à justiça retributiva); isso significa que as pessoas em conflito se consideram responsáveis (e não culpáveis) por buscar uma saída para a situação em que se encontram, isto, é, repará-la.

Numa mediação, as partes podem ser indivíduos, grupos, organizações ou países inteiros e, de modo análogo, os mediadores podem trabalhar sozinhos, em dupla ou em equipe. Tudo depende da situação ou do conflito de que se trate. Em todo caso, a presença da terceira parte ou parte mediadora altera completamente a dinâmica do conflito, que deixa de ser dual (ou você ou eu) e passa a ser "ternário" (nós).

Outro ponto a destacar, como já vimos, é que tanto aqueles que protagonizam o conflito quanto o mediador têm voz própria e se envolvem ativamente no processo. Por isso se diz que a mediação é autocompositiva.

O "acompanhamento" do mediador consiste em assentar as bases do processo, explicar as normas de funcionamento e pontuar o ritmo do progresso, sem nunca julgar, dirigir, decidir ou influir no conteúdo e no resultado da mediação. Seu trabalho consiste mais em apoiar cada participante para que compreenda a situação e se ache em condição de manifestar sua perspectiva na hora de tomar decisões conjuntas. Geralmente, o mediador tem de trabalhar intensamente para otimizar a comunicação entre os protagonistas do conflito. Fora isso, no decorrer de toda a sua atuação, ele deve manter uma atitude conciliadora que, chegado o momento, deixe as pessoas que protagonizam o conflito dispostas a colaborar.

DEFINIÇÃO DE MEDIAÇÃO	CORRETO	IMPRECISO
A MEDIAÇÃO É	um processo formal	um método alternativo
CONSISTE NA	gestão pacífica dos conflitos	solução dos conflitos
POR ISSO	um participante externo e multiparcial	uma terceira pessoa neutra ou imparcial
ACOMPANHA	os participantes do conflito (ou protagonistas)	duas partes opostas
PARA QUE	construam um acordo	negociem um acordo
VOLUNTARIAMENTE		

Quanto à construção do "acordo", é importante entender que os bons pactos são feitos com aquilo que cada parte oferece. Por isso, raramente quem medeia consegue prever os termos do compromisso, já que estes dependem dos recursos e das particularidades de cada pessoa. Aqui, importa mais assegurar que cada parte tome suas decisões com total liberdade e se comprometa voluntariamente com uma solução consensual. Como veremos, os acordos devem ser positivos para que os protagonistas se comprometam na hora de praticá-los, dado que o mediador não tem força alguma para obrigá-los a isso.

PRINCÍPIOS E CARACTERÍSTICAS DO PROCESSO DE MEDIAÇÃO

Depois desse exercício de aprofundamento do conceito de mediação, torna-se mais fácil compreender os princípios ou as características essenciais de seu processo, que exporemos a seguir.

Essas particularidades são respeitadas em todos os âmbitos em que se faça a mediação, seja intercultural, trabalhista ou escolar, seja internacional, familiar ou qualquer outro.

1. A MEDIAÇÃO É PREVENTIVA

Para intervir, não é preciso esperar que uma situação se agrave até se transformar em ilegal ou punível. Por se tratar de um espaço privado de escuta, reflexão e entendimento, são muitos os conflitos passíveis de mediação antes que se deteriorem. Desse modo se pacificam as hostilidades e se canaliza a impulsividade antes que sobrevenha a violência.

2. A MEDIAÇÃO É VOLUNTÁRIA

Do princípio ao fim, as partes em conflito comparecem ao encontro livremente, sem nenhum tipo de pressão, com a garantia, sobretudo, de que em qualquer momento que quiserem poderão abandonar o processo. Para tanto, costuma-se fazer uma petição ou pedido de mediação garantindo essa voluntariedade.

É lógico que também o mediador pode encerrar a mediação se observar que os protagonistas do conflito não cooperam, abusam dela, só brigam, não têm disposição para ela, o conflito real não pode ser intermediado, ou se ele mesmo comunica que tomou partido ou que de algum modo é parte implicada, entre outros pressupostos.

Existem modalidades em que as pessoas discordantes são mandadas a um primeiro encontro de mediação para que saibam o que é e como funciona e, se lhes convier, possam optar por esse modo de gerir a disputa. Não nos esqueçamos de que até agora o uso da mediação tem sido insatisfatório por causa de um desconhecimento social bastante generalizado.

3. A MEDIAÇÃO É CONFIDENCIAL

O que acontece na mediação fica na mediação. Em muitos processos, insere-se no documento inicial um acordo de sigilo que obriga tanto as partes como o mediador a não divulgar o que se revela em cada encontro.

Essa característica mostra-se essencial para que as pessoas possam ser sinceras, pôr na mesa seus sentimentos e expectativas, reconhecer seus erros e evitar ser matéria de conversas perniciosas. No âmbito internacional ou em conflitos de grande alcance, costuma-se comunicar à mídia, de forma genérica, se o processo tem avançado, se está parado, convergindo ou se aproximando de acordo, se o diálogo foi interrompido etc., mas não se explica o seu conteúdo.

O que preocupa e ocupa a mediação não é um passado ruim, mas um bom futuro. Apesar do que se disse, em muitas áreas se desrespeita o sigilo sempre que o mediador descobre que do conflito surgiu um delito ou ato muito grave. Nesse caso, convém esclarecer desde o começo que circunstâncias anulam o mandato de sigilo, uma vez que sua proposta não é proteger quem viola gravemente os direitos das demais pessoas.

4. OS PROTAGONISTAS DO CONFLITO TOMAM DECISÕES LIVREMENTE

Costuma-se dizer que numa mediação nunca ocorre nada que não se queira. A verdade é que é crucial as partes escolherem por si mesmas a melhor saída para o conflito por determinados motivos, entre os quais vale ressaltar: maior cumprimento do acordo, aumento da satisfação quanto à solução e, sobretudo, fortalecimento pelo fato de se ter a capacidade de encontrar uma saída individual – conservando, assim, a autoridade sobre as decisões que atingem a própria vida.

Não é nada simples cumprir esse princípio, já que, em não raras ocasiões, problemas emocionais ou desinformação prejudicam a opinião das pessoas.

5. A MEDIAÇÃO É AUTOCOMPOSITIVA

As pessoas em conflito devem participar pessoalmente da mediação, diferentemente de uma ação judicial, na qual quem toma a palavra são os advogados. Isso não impede que, sempre que se achar oportuno, outras pessoas, por seus conhecimentos ou ligações pessoais, sejam convidadas a assistir à mediação para acompanhar e assessorar os protagonistas. Essa característica permite que as pessoas se tornem artífices da própria vida. Além disso, a capacidade de ser dono de si e ter voz se reveste, em realidade, de um caráter protetor.

6. OS PROTAGONISTAS GANHAM AUTORIDADE

Ao se encarregarem dos próprios assuntos, as pessoas se responsabilizam por si mesmas e perante os demais, desenvolvem competências para reconhecer-se e valorizar-se mutuamente e compreendem que a conquista de uma boa saída para o problema está em suas mãos. Também evitam que outros tomem conta de sua vida e aprendem a agir com mais eficiência diante de conflitos futuros. Na mediação, o mais importante são as pessoas e seu crescimento.

7. OS MEDIADORES NÃO JULGAM, NÃO DECIDEM, NÃO ACONSELHAM NEM DÃO SOLUÇÕES

De fato, os mediadores não têm nenhum tipo de poder sobre as partes, exceto o do reconhecimento, que ocorre quando os indivíduos que participam do processo se sentem acolhidos e escutados sem críticas, ameaças ou imposições. Assim, quem medeia não deve cair na tentação de oferecer conselhos ou soluções que enfraqueçam ou tirem o protagonismo daqueles que vivem o conflito e são, em síntese, os que deverão conviver com a solução que encontrarem.

8. A MEDIAÇÃO SE FUNDAMENTA NO GANHO MÚTUO

É preciso ter uma boa dose de criatividade para sair de uma situação e evitar que uns percam e outros ganhem. No entanto, essa é a tarefa da mediação, porque somente quando todos satisfazem seus interesses o conflito é dado por resolvido. Além disso, essa abordagem enfatiza a cooperação e não a destruição.

9. A MEDIAÇÃO PROMOVE O APRIMORAMENTO MORAL

Por se tratar de um processo não violento que promove a paz, entendida como justiça social, a mediação cultiva na prática uma infinidade de valores, motivo pelo qual seu lema é "honrar a pessoa e atacar o conflito". Os participantes, portanto, não apenas melhoram sua situação, mas também se aprimoram.

10. O PROCESSO DE MEDIAÇÃO DEVE SER RÁPIDO

O período que transcorre entre o pedido de mediação, a reunião das partes e a conclusão de um acordo deve ser razoavelmente breve. Supõe-se que as sessões se desdobrem com rapidez, porque os protagonistas do conflito se conscientizam de que seu objetivo é colaborar na elaboração de um acordo que lhes permita superar a confusão em que se encontram.

Quando o processo se prolonga, talvez seja uma indicação de que não existe disposição de encerrar o conflito. As vantagens da pronta intervenção são claras: contém-se o agravamento do problema, aumenta-se a eficiência, a gestão do conflito torna-se mais econômica e, caso a mediação não funcione, pode-se optar por outras vias.

A mediação não serve para resolver qualquer conflito, já que existem limites a ser considerados. Se um indivíduo padece de problemas pessoais que não consegue resolver sozinho, ele deverá solucioná-los recorrendo à terapia. De modo parecido, quando um conflito se transforma em delito, terá de ser resolvido de acordo com a lei. Ainda assim, cabe notar que em conflitos muito graves (terrorismo, confronto armado, guerra, violência de gênero etc.) em que a lei não é respeitada e muitas vidas são perdidas, a mediação se mostra uma das opções mais acertadas para transformar a realidade, pois leva em consideração as vítimas e trabalha com aquilo que os agressores oferecem e compactuam voluntariamente.

CARACTERÍSTICAS DO PROCESSO DE MEDIAÇÃO

PREVENÇÃO
Intervém-se em qualquer momento, inclusive antes que o conflito aumente.

VONTADE
Ninguém participa por pressão ou por obrigação.

SIGILO
O assunto tratado é inteiramente privado.

LIVRE DECISÃO
Cada pessoa toma as próprias decisões.

AUTOCOMPOSIÇÃO
A participação na mediação é sempre pessoal: não pode ser delegada.

FORTALECIMENTO
Os protagonistas do conflito desenvolvem competências para cuidar de seus problemas.

AUSÊNCIA DE PODER DO MEDIADOR
Quem medeia não julga, não decide, não aconselha, não dá soluções.

GANHO MÚTUO
O desafio é cooperar para atender aos interesses de ambas as partes.

ÉTICA
Durante o processo, criam-se valores pertinentes à cultura de paz.

RAPIDEZ
O tempo transcorrido entre o início e o final do processo de mediação deve ser curto.

Por outro lado, mediação não é sinônimo de negociação, conciliação ou arbitragem. Na negociação, por exemplo, o debate é levado por duas pessoas ou partes e o processo que elas seguem não é completamente estruturado, como ocorre na mediação. Quanto à conciliação, a diferença está em que a terceira parte reúne os que estão em conflito para que retomem a comunicação, mas não é absolutamente necessário que ela esteja presente no encontro que leva ao acordo. Com relação à arbitragem, a principal diferença consiste em que, depois de escutadas ambas as partes, o árbitro dita a solução, que tem obrigatoriedade.

Em linhas gerais, as considerações feitas até aqui mostram que a mediação é um processo genuíno de gestão de conflitos e convivência.

3. Modelos principais e âmbitos de aplicação

COMO OCORRE EM QUALQUER disciplina, não há uma maneira única de entender e praticar a mediação, o que, longe de causar divisões nesse campo, aumenta a compreensão do processo graças às variadas abordagens e contribuições provenientes de áreas científicas e profissionais diversas. Em resultado, a maioria dos mediadores emprega conhecimentos e técnicas cunhados pelas distintas correntes, enriquecendo sua bagagem de modo transdisciplinar ou "não disciplinar".

MODELOS

O *modelo tradicional linear*, também denominado diretivo ou solução de problemas, acentua a importância de que as partes alcancem o acordo, já que, uma vez resolvida a questão, supõe-se que as relações entre elas melhoraram. A pressão para obter um pacto a fim de desembaraçar o conflito explica o fato de os mediadores tenderem a orientar a mediação para ele, deixando em segundo plano os aspectos emocionais e relacionais da situação. Esse enfoque predomina na gestão de conflitos trabalhistas e comerciais, para dar apenas dois exemplos.

O *modelo circular-narrativo* considera que a comunicação entre ambas as partes constitui o foco de trabalho do mediador. A ideia implícita é que, quando se consegue restabelecer um bom padrão de comunicação, torna-se mais fácil sair do conflito. Para restaurar a comunicação, prioriza-se o uso de técnicas de comunicação ativa, que ajudam a desconstruir o conflito para recontá-lo, de modo que se abra caminho para um futuro possível e positivo. Essa corrente tende a predominar na mediação de conflitos familiares e comunitários, entre outros.

O *modelo transformativo* ou *não diretivo* considera que o importante da mediação é que cada um dos participantes se sinta protagonista de sua vida e tome decisões próprias. Em essência, dá-se grande importância às estratégias de fortalecimento pessoal, que favorecem o reconhecimento e a revalorização mútuos como elementos-chave da transformação real do conflito. Essa escola pretende gerar aprendizagem, desenvolvimento pessoal e social, fortalecimento e emancipação dos que participam do processo de mediação e tende a voltar-se para a comunidade e a própria escola.

Desses três modelos, que hoje em dia podem ser considerados clássicos, surgiram novas correntes e autores que se distinguem por misturar elementos pertencentes a cada um deles e acrescentar outros específicos, até configurar uma prática de mediação adequada ao contexto do conflito com que trabalham.

O essencial é que tanto o acordo quanto o padrão de comunicação ou o fortalecimento pessoal constituem elementos fundamentais em qualquer mediação, pois, ainda que varie o peso dado a cada um – o que determina o enfoque do trabalho e as técnicas usadas –, todos os mediadores trabalham de acordo com esses três eixos.

ÂMBITOS

Quanto aos campos de aplicação, o processo de mediação demonstrou ser útil em todos os contextos, porque se compõe de estratégias que podem fazer frente à multiplicidade de situações, por mais inéditas que sejam. É notável que a dinâmica seguida por uma pessoa que medeia conflitos internacionais é quase igual à daquela que medeia conflitos familiares. Mesmo que se trate de problemas radicalmente diferentes, de culturas diversas ou de situações que atingem apenas dois indivíduos ou muitos mais, o processo passa pelas mesmas fases e requer as mesmas técnicas.

Está claro que a complexidade de cada problema determina a profundidade do trabalho do mediador e os conhecimentos que ele deve ter a respeito desse âmbito específico.

A mediação se propagou para o *âmbito comunitário* para tratar com eficácia e sem precisar recorrer à justiça as disputas entre vizinhos, os problemas com o município, as demandas sociais etc. Muitas cidades contam com um serviço de mediação que também atende às queixas apresentadas de maneira generalizada ou numa área específica (urbanismo, educação, habitação, consumo, turismo, empresa, cultura, comércio, juventude, imigração, esportes, mobilidade, energia) e as direciona de modo adequado. Alguns serviços de mediação comunitária são itinerantes, especializam-se em minorias étnicas ou atendem a conflitos delimitados por uma realidade peculiar.

No *âmbito intercultural*, a mediação confundiu-se de início com uma simples tradução linguística para que pessoas recém-chegadas pudessem ser compreendidas e, por sua vez, entendessem o que a comunidade ou qualquer organismo lhes quisesse transmitir. Porém, a mediação intercultural não tem a função de superar as barreiras do idioma, mas sim as culturais. Os conflitos entre culturas diferentes surgem por incompreensão do significado de alguma questão própria de certo contexto cultural, por preconceito contra quem é diferente, por racismo, pela não aceitação da presença de recém-chegados que têm acesso a recursos sociais, por abusos contra os imigrantes ou por qualquer outro tipo de conflito.

Na *saúde*, em que as pessoas em geral passam por uma dificuldade, sentem-se fracas e muito abaladas emocionalmente, usa-se a mediação para trabalhar com demandas e queixas em razão de demora, insatisfação, abuso do sistema de saúde, serviço ruim, problemas entre funcionários, brigas com a gerência, conflitos interculturais, convivência entre pacientes etc. Nesse âmbito se entrecruzam diversos tipos de mediação (trabalhista, comunitária, intercultural), e ele próprio se subdivide em saúde mental, terceira idade e dependência, centros assistenciais, dependência química etc.

Nos *conflitos armados*, que podem muito bem envolver bandos ou grupos urbanos, terrorismo, guerra ou lutas enraizadas entre países (conflito internacional) por motivos bem variados e complexos, as mediações são iniciadas e retomadas até conseguirem um acordo para cessar a violência, seguido por outros para a reconstrução social e, em muitos casos, a transição, a reconciliação e o perdão. Os mediadores devem trabalhar com a multiplicidade de participantes, manter o sigilo a qualquer custo e contar com seu prestígio individual ou com o da organização à qual pertencem para poder intervir no conflito.

Quanto à *família*, talvez a mediação mais difundida seja a que gere os casos de separação e divórcio, mas também trata de conflitos entre pais e filhos adolescentes ou entre filhos e pais maiores de idade, herança, desavenças entre familiares, negócios, desacordos pontuais sobre um tema, problemas de adoção, atendimento a familiares com problemas de saúde física ou mental etc. A convivência entre pessoas da mesma família se caracteriza pela intensidade, pela proximidade e pela duração ao longo do tempo, e por isso os mediadores devem atentar para danos tanto materiais como emocionais e avaliar como a situação afeta crianças e adolescentes que vivem nessa família e dependem dela. Nesse sentido, sempre que possível, as crianças são levadas às sessões de mediação em que se define seu futuro.

No *âmbito comercial* são tratadas disputas de todo tipo, com ênfase especial para os problemas internacionais, descumprimento de contratos, conflitos entre sócios, com administradores ou clientes, com empresas concorrentes, sindicatos etc., para garantir o bom tratamento do cliente e sua satisfação, causar o menor dano possível à empresa, solucionar prontamente os erros e manter um bom nome. Nesse aspecto, costuma-se ratificar muitos acordos diante de um tabelião ou outra autoridade que dê validade jurídica ao pacto alcançado, que assim passa a ser obrigatório.

Ainda que possamos dar continuidade a uma lista interminável de âmbitos de aplicação e tipos de mediação – penal juvenil, penal, de direito privado, trabalhista, imobiliária, de organizações do terceiro setor, policial, transfronteiriça, de consumo, judicial, esportiva, de concursos, universitária etc. –, todos eles seriam ineficientes sem a mediação escolar.

A *mediação escolar* representa uma forma diferente de praticar a mediação. Já esclarecemos que o processo é exatamente o mesmo que nos outros âmbitos, mas o que muda é que quem conduz a mediação não é um profissional, dá-se grande ênfase ao aprimoramento de valores e competências para a vida, e a convivência entre aqueles que se defrontam não é interrompida, porque continuam a frequentar a instituição, às vezes por anos.

A formação de alunos mediadores é, sem dúvida, a semente para que as novas gerações possam optar na vida adulta por meios pacíficos e não antagônicos para solucionar conflitos.

4. Desenvolvimento passo a passo do processo de mediação

O PROCESSO DE MEDIAÇÃO se desenvolve como um ritual realizado pela necessidade de resolver um conflito. Há muitas maneiras de denominar cada um dos passos ou etapas da mediação, mas invariavelmente eles devem responder a três perguntas:

- O que aconteceu conosco?
- Em que nos interessa?
- Como solucionamos?

Seguindo esse esquema, vamos expor o desenvolvimento de um processo de mediação em três passos, detalhando os objetivos e os elementos centrais de cada um junto com algumas observações relevantes.

PRIMEIRO PASSO: O QUE ACONTECEU CONOSCO?

PEDIDO E ACESSO

No momento em que as pessoas envolvidas num conflito tomam consciência de que querem solucioná-lo amistosamente, elas decidem pedir uma mediação. Pode ser também que recorram a ela porque alguém conhecido sugeriu ou até porque, antes de optar por outras vias, são convidadas, num primeiro encontro obrigatório, a entender o que ela é e como funciona, para então decidirem se lhes convém ou não. Está comprovado que muitos indivíduos que nunca haviam assistido a uma mediação escolhem participar desse processo assim que o conhecem e tiram o melhor partido do conflito que enfrentam.

O PROCESSO DE MEDIAÇÃO EM TRÊS PASSOS

PASSO	PERGUNTA	OBJETIVOS	DESENVOLVIMENTO	FUNDAMENTOS	OBSERVAÇÕES
1	O que aconteceu conosco?	• Iniciar a mediação • Compreender o conflito	1.1 Pedido e acesso 1.2 Reunião inicial 1.3 Aceitação das normas 1.4 Exploração do conflito	• *Acolher e mostrar empatia* • *Ensinar sobre o processo* • *Gerar confiança* • *Avaliar se o conflito é passível de mediação* • *Escutar ativamente*	• Assinar o pedido de mediação e o acordo de sigilo • Renunciar à mediação se ela não foi possível
2	Em que nos interessa?	• Contextualizar o conflito • Determinar os temas a trabalhar	2.1 Identificação dos interesses em jogo 2.2 Criação de interdependência 2.3 Definição do conflito 2.4 Elaboração da agenda	• *Revelar as emoções* • *Reunir e filtrar a informação* • *Conduzir o processo com equilíbrio* • *Buscar o equilíbrio de poder* • *Dar poder*	• Realizar uma reunião em caso de impedimento • Decidir que temas serão abordados e quais ficarão fora da mediação
3	Como solucionamos?	• Gerar alternativas • Cooperar na confecção do acordo • Cumprir e revisar os pactos	3.1 Chuva de ideias 3.2 Conciliação de interesses 3.3 Redação do acordo 3.4 Implantação e monitoramento	• *Criar um clima positivo de relacionamento* • *Estimular a criatividade* • *Promover a cooperação* • *Agir de acordo com a realidade* • *Avaliar se o acordo é justo*	• Perguntar a cada pessoa o que faria de diferente se voltasse a se ver em um conflito parecido • Formalizar o acordo quando se achar conveniente

É importante observar que aqueles que optam pela mediação chegaram, na realidade, a um primeiro acordo por si mesmos: ir à mediação indica seu desejo de dialogar e trabalhar juntos contra aquilo que os distancia. Por outro lado, quando comparecem com desconfiança ou por curiosidade, deve-se esclarecê-los a respeito do processo.

Sempre que possível, as partes em conflito escolhem numa lista de mediadores qualificados com quem trabalharão, mas normalmente basta que esse indivíduo não tenha interesses pessoais nem esteja envolvido na situação de modo algum. O mediador as chamará para uma primeira reunião, ainda que muitos mediadores prefiram antes ter um contato individual com cada uma das partes, a fim de averiguar, em termos gerais, o tipo de disputa e avaliar o grau de conhecimento e adesão ao processo de cada uma. Nesses momentos anteriores ao começo do encontro, faz-se o possível para gerar confiança a respeito da eficácia da mediação e do mediador, explicando o processo e suas finalidades com total transparência.

Nem sempre se consegue que as partes conflitantes aceitem a mediação. Os motivos da recusa são diversos. O desejo de ganhar a disputa unilateralmente ou de fazer a outra parte perder e sofrer afasta algumas pessoas, já que a ideia de que todos saiam ganhando não as satisfaz.

Outro motivo que impede a mediação é a falta de colaboração de uma ou de ambas as partes, que apenas se sentam à mesa para continuar brigando. Nesse caso, é o mediador que, após várias tentativas de retomar a situação, opta por adiar o encontro até que as partes se sintam dispostas a trabalhar a sério.

A mediação também é suspensa se alguém não está disposto a participar de forma ativa, porque a situação o domina emocionalmente, porque necessita de atendimento terapêutico, sente-se coagido, houve delitos, porque desconhece os próprios direitos etc. Assim que as pessoas tenham disposição para trabalhar em seu conflito, a mediação pode ser iniciada e ajudará a transformar a realidade. Note-se que o mediador mantém um compromisso ético a todo momento e trabalha de boa-fé.

Em geral, os centros de mediação dispõem de documentos de apoio, como folhetos explicativos, cartazes etc. Além disso, deve-se assinar o pedido de mediação (com os dados das partes) e um contrato em que se costuma detalhar as condições da mediação, o número de sessões previsto, os honorários do mediador e o compromisso de sigilo.

REUNIÃO INICIAL

Chegado o momento de começar, os mediadores cuidam de preparar o local, procurando criar um ambiente simples e agradável. As mesas redondas de vidro são as mais apropriadas, porque permitem que as pessoas em conflito se sentem formando os vértices de um triângulo com o mediador, que, desse modo, tem em seu campo visual os dois oponentes e pode observar sua linguagem corporal. Há mediadores que deixam sobre a mesa lenços, água, balas, papel, lápis, uma planta etc.

O mediador se apresenta e dá as boas-vindas aos participantes, cumprimentando-os por sua decisão de resolver a divergência por meio do diálogo. Mostra-se acolhedor e confiante e proporciona informação clara e precisa sobre o desenrolar do processo, ao mesmo tempo que manifesta expectativas positivas. Sua linguagem corporal é franca, direta e aberta, demonstrando seu envolvimento no caso e seu interesse de escutar.

A maioria dos mediadores prepara um discurso breve de abertura, o qual suscita interesse pelo trabalho que será feito e mostra que está acessível a todos. É parte essencial do início da mediação esclarecer o papel do mediador como pessoa que não julga, não decide, não aconselha nem resolve. Também se explicam os princípios de sigilo, espontaneidade e livre-arbítrio. Essa conversa inicial mantém reunidas as pessoas em conflito e lhes dá a oportunidade de relaxar um pouco e habituar-se ao convívio, sem se atacar.

Passado esse momento inicial, o mediador deve evitar a todo custo tornar-se o centro da atenção.

ACEITAÇÃO DAS NORMAS
Em seguida, o mediador esclarece o processo, descrevendo em linhas gerais seus objetivos e fases, para então receber o compromisso de cada pessoa com ele, o que se consegue expondo as normas e pedindo cooperação. As normas para o bom funcionamento da mediação são muito simples:

- Manifestar-se em turnos, sem interromper.
- Expressar-se com respeito, sem ofender.
- Colaborar na busca de alternativas, sem criticar.

O mediador dirige-se a cada um individualmente e lhe pergunta se consegue cumprir as normas, esperando escutar uma resposta afirmativa de cada lado. Quando as pessoas declaram que efetivamente estão dispostas a observar os preceitos, começam a ter concordância em algo.

Pode acontecer, contudo, que em algum momento uma das partes interrompa ou desrespeite a outra, até várias vezes. Ao advertir sobre esse descumprimento das normas, o mediador jamais se sentirá ofendido ou atacado, já que assim ele se tornaria parte do problema ou se colocaria contra aquele que não age da maneira combinada. Pacientemente e mantendo uma atitude proativa, o mediador lhes lembra de modo positivo, quantas vezes forem necessárias, o compromisso aceito para que a mediação funcione e lhe sugere, se for o caso, que anote o que quer dizer quando chegar sua vez de falar.

Lida-se com o respeito mútuo pedindo aos oponentes que se refiram ao outro pelo nome (fugindo do "você" ou acusatório e de formas depreciativas e indiretas de se dirigir a quem está presente) e se incentiva expor a situação em primeira pessoa (mensagens assertivas) para descrever o próprio ponto de vista.

No caso de um mediador advertir que uma parte o "conquistou", por bem ou por mal, ele deve ser substituído, já que, ao tomar partido, transformou-se em juiz, contrariando um dos princípios fundamentais da mediação.

EXPLORAÇÃO DO CONFLITO

Até esse momento, apenas se assentaram as bases da mediação, e é então que o mediador realmente inicia seu trabalho. Começa por perguntar diretamente a uma parte o que aconteceu, deixando claro que essa pessoa faça o relato ao próprio mediador. Assim se estabelece um tipo de comunicação indireta que permite: a) que o mediador trabalhe com a mensagem, demonstrando capacidade de escuta; b) que a outra parte ouça o que se diz pelo filtro do mediador e sem a necessidade de responder contra-atacando ou defendendo a sua posição.

O mediador também se interessa pela dimensão do problema para essa pessoa. Como é natural, as primeiras falas costumam conter uma carga emocional muito significativa, em forma de raiva, frustração, indignação ou decepção, tristeza, impotência, desilusão etc. É necessário que cada parte, uma após a outra, tenha a possibilidade de debater seus sentimentos, e a função do mediador não é outra que não a de reconhecê-los e refleti-los, como se tratasse de um espelho, para que quem fala se sinta legitimado, perceba que é compreendido sem julgamento e possa tranquilizar-se. A partir daí, o mediador fará paráfrases e pedirá esclarecimentos por meio de perguntas abertas a respeito do que os participantes lhe contam na mediação, até compreender o conflito de todos os lados. Compete a ele fazer aflorar as questões essenciais do conflito, porque normalmente estas estão ocultas, e o recurso para tanto não é outro senão a escuta ativa.

SEGUNDO PASSO: EM QUE NOS INTERESSA?

IDENTIFICAÇÃO DOS INTERESSES EM JOGO

As pessoas recorrem à mediação com posição firme, vendo somente o seu lado, disputando motivos e reclamando direitos. O mediador respeita o ponto de vista de cada uma e tenta colocar-se na pele delas para compreender melhor seu ponto de vista, mas também formula perguntas que desestabilizam as percepções estáticas dele próprio e abrem o conflito a outras interpretações. Somente assim ele consegue desobstruir o conflito e ajudar as partes a avançar. Pelo que os protagonistas do conflito lhe contam, o mediador deve, para definir a situação, identificar quais são os verdadeiros interesses deles. Em geral costuma-se lembrar aos participantes que devem falar em primeira pessoa, ou seja, assertivamente, evitando acusações e concentrando-se em suas experiências e interesses.

A linguagem do mediador é explicitamente inclusiva (nós), porque não se trata de delimitar duas posições – como ocorre na justiça –, mas sim uma mesma situação que atinge ambas as partes.

Também convém observar que, embora o mediador não tenha nenhum poder sobre o conteúdo da mediação, é ele quem cuida do seu desenvolvimento. Por isso, em diversas ocasiões, ele antecipa os passos seguintes para que os participantes se situem e encontrem o sentido do trabalho que realizam.

CRIAÇÃO DE INTERDEPENDÊNCIA

Nesse momento, o mediador trabalha para que os protagonistas do conflito saiam definitivamente de suas respectivas posições, pondo-se no lugar da outra parte e tentando compreender seus motivos e suas necessidades. É muito importante deixar claro que os interesses de ambos não são contrários nem excludentes e que se trata de unir forças, porque o bem-estar de uma parte implica o da outra. Deve-se recordar que a mediação incide nas relações entre pessoas que conviverão depois do conflito – como vizinhos, colegas de trabalho, alunos da mesma escola etc. – e procura aperfeiçoar sua capacidade de empatia.

Portanto, um dos aspectos aos quais o mediador ou a mediadora presta especial atenção ao longo dos três passos do processo é às manifestações de reconhecimento, apreço, valorização ou apoio que uma pessoa deixa entrever com relação à outra, porque daí surge parte do fortalecimento que gera a mediação. Também se esforça por equilibrar o poder entre as partes (tarefa nada simples), já que as relações devem ser horizontais para que se chegue a um acordo justo. Às vezes é imprescindível dar informação a uma das partes, conter a outra, ressaltar os vínculos existentes entre ambas etc.

Dado esse passo, pede-se cooperação para satisfazer os interesses e as necessidades de todos. Esse enfoque mostra a riqueza e a inovação do processo de mediação e sua capacidade transformadora, porque a luta, que começou em ataque de uma pessoa a outra, agora se converte em uma aliança para lutar conjuntamente contra o problema ou a situação de conflito.

DEFINIÇÃO DO CONFLITO

A delimitação ou marco do conflito em geral consiste na reformulação do problema, que inclui aquilo que é realmente importante para cada pessoa, trate-se de questões materiais, emocionais, de relacionamento ou simbólicas. O modo como se reenfoca o problema é crucial no momento de descobrir alternativas para resolvê-lo, e por isso o mediador ou a mediadora deve ter o cuidado de reunir sinteticamente em sua formulação os interesses indicados por ambas as partes.

A definição do conflito costuma tomar a forma de uma história alternativa, isto é, um relato da situação vista de outro ângulo, incluindo detalhes que passaram despercebidos ou novas explicações que se adaptam melhor à realidade. O mediador ou a mediadora deverá sempre assegurar-se de que a definição é precisa, perguntando a cada pessoa se concorda com ela.

ELABORAÇÃO DA AGENDA

O mediador resume o trabalho efetuado até o momento e também agradece às partes o esforço feito. Até o presente, os participantes da mediação se comunicaram por meio do mediador, e é nesta fase que poderão começar a se dirigir ao outro, sempre sob a atenção do mediador, que cuidará para que o padrão de comunicação e o clima entre ambos sejam positivos.

A agenda é, na realidade, uma lista breve de temas por tratar que reflita aquilo que as partes necessitam para sair do conflito. Alguns desses temas são fundamentais, enquanto outros ocupam um lugar secundário, mas igualmente importante. Em casos muito complexos, pode-se optar por deixar alguns pontos fora da mediação e concentrar-se no que as partes consideram prioritário. Mais adiante, se necessário, é possível convocar uma nova mediação para explorar melhor esses temas e buscar uma boa saída para eles.

Aconselha-se a escrever a lista em uma lousa ou folha de papel grande visível para ambas as partes, assinalando, assim, que estão trabalhando de acordo com um mesmo projeto.

TERCEIRO PASSO: COMO SOLUCIONAMOS?

CHUVA DE IDEIAS

O trabalho de exploração e definição do conflito pôs em jogo a capacidade de reflexão, análise e interpretação da realidade. Agora, é preciso estimular a criatividade e a imaginação para encontrar o maior número de saídas ou alternativas para o conflito – quanto mais inovadoras, melhor.

O mediador ou a mediadora seleciona o tópico da agenda pelo qual quer começar a trabalhar. Com cuidado, pede aos participantes que digam, sem pensar, todas as propostas que lhes ocorram para satisfazer os interesses identificados na fase anterior. Convém reafirmar que nada do que se diga será objeto de crítica ou comentário. As diferentes ideias podem ser formuladas em voz alta, enquanto o mediador as anota, ou escritas em tiras de papel, que são postas na mesa com as letras para baixo. Incentiva-se constantemente as partes a apresentar novas ideias, e até se pode finalizar a sessão nesse momento e incentivar que tragam novas propostas para o encontro seguinte.

CONCILIAÇÃO DE INTERESSES

Quando se esgotam as ideias e já existem mais de dez propostas sobre a mesa, tomam-se três atitudes: eliminação, seleção e combinação. Primeiro, pede-se a cada parte que elimine três ou quatro ideias próprias que acreditam que não funcionarão. A seguir, são retiradas as ideias formuladas pela outra parte que não convencem, de modo que depois dessa seleção restem apenas as ideias que ambas consideram mais interessantes. Então, o mediador junta umas ideias às outras, de modo que as alternativas finais sejam formuladas com contribuições de ambos os participantes. Ao mesmo tempo, não para de reforçar os vínculos comuns e de promover a vontade de resolver e cooperar.

Agora é hora de eleger a opção mais interessante. Para isso, o mediador atua como porta-voz da realidade, ou seja, questiona as partes sobre a viabilidade do acordo que estão elaborando, se se acham capazes de colocá-lo em prática, se o consideram equitativo, se não provocará danos a terceiros, se os custos são razoáveis etc., assegurando-se, de algum modo, de que os resultados da mediação sejam sensatos e viáveis.

Além disso, mantém o foco na visão de um futuro em comum e promove constantemente a corresponsabilidade dos participantes no momento de possibilitar o amanhã desejado, que agora se mostra ao seu alcance. Quando parece difícil chegar ao acordo, pode-se começar a decidir os critérios que esse pacto deve conter para que as partes o achem bom, o que costuma ajudar a avançar.

Geralmente os acordos de mediação são colaborativos e fazem jus à premissa *win-win* (de ganho mútuo), cujo objetivo implica que cada pessoa se preocupa em obter o que deseja e, ao mesmo tempo, contribui para que a outra parte também obtenha o que quer. Como se vê, transformaram-se de "inimigos" no conflito em "companheiros" nele. Aqui, o mediador ajuda cada um a considerar os interesses do outro, promove concessões mútuas, flexibiliza as exigências e aproveita os recursos ao máximo até traçar um plano de ação detalhado.

Às vezes se confunde o acordo com um ponto médio, ou seja, com a distribuição em 50% do que está em jogo, quando na verdade a situação desse ponto médio varia segundo as condições e o que cada uma das partes pode oferecer. Os acordos de mediação são integradores e multiplicadores porque unem forças de modo que ambas as partes, trabalhando juntas, obtenham algo que nenhuma delas conseguiria sozinha.

Pode acontecer que, diante de um acordo visivelmente injusto, a parte que supunha ser prejudicada afirme que aceita essa solução de livre vontade. Esse fato pode originar um conflito ético, pois está claro que o mediador jamais deve interferir na tomada de decisão e, ao mesmo tempo, não pode permitir o mau uso da mediação. Esse seria um bom momento para realizar uma reunião particular e garantir que a pressa em resolver a situação não se transforme, mais à frente, em acusação de farsa contra a mediação.

Essa reunião privada e breve é realizada pelo mediador com cada parte, a fim de comunicar a percepção de impedimento, falta de informação, falta de honestidade, coação ou outra causa que contenham o avanço da mediação – se necessário, essa reunião pode ser convocada em qualquer fase dela. Quando se retoma o processo, a informação obtida nas reuniões privadas só é compartilhada se as partes o permitirem.

REDAÇÃO DO ACORDO

Cabe ao mediador dar forma escrita ao acordo e certificar-se de que cada pessoa compreende bem seus termos. O acordo de mediação é de cumprimento voluntário, de modo que sua força e suas garantias residem em sua qualidade e exatidão. O pactuado deve ser sempre justo, de modo que o pensamento crítico – não tanto o reflexivo nem o criativo – predomine nesse momento, porque convém encarar o acordo pelo prisma da ética e dos valores.

Em determinados âmbitos, as partes em conflito podem, se desejarem, ratificar seu acordo diante de um tabelião ou juiz, dando-lhe então caráter legal, o que, como vimos, o torna obrigatório. Em outras esferas, por outro lado, mais que um acordo, redige-se um breve relato da mediação que reflita o trabalho realizado: descrição do conflito, participantes, pontos principais e pactos.

Esses documentos finais registram o funcionamento do serviço de mediação e permitem a realização de estudos sobre o tipo de conflito, o tempo médio para resolvê-lo, as características dos que recorrem à mediação, o tipo de acordo alcançado, os custos, o grau de satisfação etc. Desse modo, tanto pesquisadores quanto mediadores contribuem para o progresso e a inserção da mediação no leque de possibilidades de gestão de conflitos.

Por outro lado, os demais documentos ou anotações usados na mediação são destruídos, preservando, assim, o anonimato e o compromisso de sigilo firmados no início.

IMPLANTAÇÃO E MONITORAMENTO

Os acordos alcançados devem corresponder aos interesses que cada pessoa manifestou, para que sinta a importância de colocá--los em prática de bom grado, com a convicção de que essa é a melhor saída para a sua situação. Muitos acordos são criativos, ou seja, não correspondem a uma fórmula genérica, mas se adaptam às particularidades de cada contexto e enfatizam os valores da coexistência pacífica. No momento do encerramento da mediação, a implementação do acordo transforma as pessoas, o conflito e o ambiente, tornando possível e real uma mudança positiva em todos os sentidos.

Considera-se, então, que a mediação tem um forte componente educativo e de aprendizado. Assim, no momento de monitorar os acordos numa última reunião conjunta, além de felicitar as partes pelas metas atingidas, pergunta-se a elas o que fariam de diferente caso se vissem em situação parecida.

5. Papel e perfil do mediador

TODO MUNDO CONHECE ALGUÉM que enfrenta conflitos de modo positivo e decisivo, motivo pelo qual outras pessoas ao seu redor geralmente lhe confiam suas preocupações à espera de compreensão e, talvez, bons conselhos. Pode ser que, intuitiva e naturalmente, demonstrando bom senso e sobretudo grande capacidade de escuta, essa pessoa intervenha de maneira conciliadora e consiga reduzir as preocupações dos outros até que sejam mais remediáveis. Pois bem, os mediadores profissionais desenvolvem conscienciosa e rigorosamente essas capacidades e qualidades (e muito mais) até transformá-las em competências que podem usar com consciência, especializando-se na análise, no tratamento, na prevenção e na transformação de conflitos.

CARACTERÍSTICAS DO MEDIADOR

O papel do mediador é colocar-se a serviço daqueles que vivem um conflito, estando disponível para ajudá-los a organizar suas ideias, esclarecer seus sentimentos e explorar conjuntamente suas opções no momento de tirar proveito da situação. Para isso, o mediador deve evitar deixar-se levar ou influenciar pelo que cada parte diz ou faz e concentrar a atenção no que realmente está em jogo. Assim, a *capacidade de concentração* é uma das qualidades do bom mediador.

Além disso, o mediador deve *mostrar empatia para acolher cada pessoa*, sem ficar ao seu lado nem contra. Faz-se a recepção criando um ambiente amigável e de respeito mútuo, onde cada indivíduo se sinta à vontade, apesar do conflito em que se encontra. E mais, como assinalamos antes, o mediador não pode pender para nenhum dos lados; tem de ficar equidistante e mostrar-se a favor de todos. Mais do que neutro, o mediador é, portanto, multiparcial, a ponto de, caso detecte que uma parte o atrai ou o convence mais que a outra, dever entregar o caso a outro.

A *capacidade de manter a independência* é outra característica fundamental. Isso significa que quem medeia não pode ter interesses diretos no conflito ou relação com as partes que possa prejudicar o resultado da mediação. Por sua vez, os participantes devem aceitar a pessoa que os ajudará a gerir seu conflito.

Em consequência, o mediador precisa ser alguém em quem se acredita e confia, que se comporta com naturalidade, desenvoltura, franqueza e transparência.

Ao longo do encontro de mediação, é bastante provável que surjam manifestações emocionais de intensidade variável. Se as partes demonstram sua frustração de modo agressivo e gritando, vociferando, ameaçando, chorando, angustiando-se ou deprimindo-se, o mediador tem de evitar contagiar-se e deve se sentir à vontade diante de todos os tipos de manifestação, mantendo a calma e a serenidade.

É importante que os participantes da mediação possam revelar suas emoções e manifestar como e quanto a situação os atinge. Assim, não se trata de reprimir, mas sim de aceitar, legitimar e sossegar para, a partir daí, analisar melhor o conflito.

No entanto, nem todos estão dispostos a entrar numa disputa. Por isso, outra das qualidades de todo mediador é sua *capacidade de vivenciar o confronto*, a crítica, as acusações etc., porque as peças que formam um conflito costumam ser penetrantes. É preciso ter destemor e coragem para fazer parte de uma situação desagradável e cheia de dificuldades e incertezas.

O mediador deve *trabalhar com rapidez e eficiência*, utilizando o tempo com habilidade e passando pelas diferentes fases da mediação de modo proveitoso, ou seja, sem demorar-se desnecessariamente. Necessita, então, ter um bom conhecimento das estratégias e dos recursos mais adequados em cada caso e momento, demostrando sua eficiência e domínio e transmitindo segurança e rigor. Os processos de mediação em geral são bastante rápidos, porque, uma vez definido o conflito com precisão, começa-se a trabalhar em cooperação para superá-lo.

O mediador assume um compromisso de sigilo que o obriga a não revelar o que venha a conhecer por meio de seu trabalho e o desobriga de ter de contá-lo à polícia, à justiça ou a qualquer autoridade. Além disso, deve ser discreto e não interferir em assuntos privados ou revolver aspectos que não terão utilidade na mediação.

De algum modo, o mediador tem de *transmitir aos protagonistas do conflito que confia em sua capacidade e possibilidade* de enfrentar a situação com êxito. Por isso ele demonstra apreço e expectativas positivas a ambos, apontando os progressos realizados e felicitando-os pelas conquistas.

Outra qualidade fundamental é o fato de *considerar os conflitos oportunidades valiosas de mudança e crescimento pessoal*. Sem dúvida, as situações de confronto forçam-no a parar para refletir sobre si mesmo com relação aos demais, sobre a realidade e a própria experiência de vida. Quando esse trabalho é realizado com espírito construtivo, abre-se a porta a um leque de opções não consideradas anteriormente. O trabalho do mediador consiste também em fazer emergir essa face positiva do conflito e detectar as vantagens das mudanças para ajudar a enfrentar as resistências que geralmente o acompanham.

Para que a mediação seja bem-sucedida, o mediador orienta constantemente as partes para a escuta ativa, a assertividade, a empatia, a justiça, a colaboração etc., aproveitando uma infinidade de momentos para transmitir valores e atitudes pacíficas.

Assim, a ação de mediação contém um claro componente pedagógico que pretende ensinar as partes a ser mais eficientes diante de conflitos futuros.

A *escuta ativa* é uma competência fundamental do mediador. Existem inúmeras macroestratégias e microestratégias de comunicação efetiva que servem de alavanca ao mediador para trabalhar tanto com o conflito como com a sua solução. Sabe-se que a primeira coisa que falha num confronto é a comunicação, seja porque se interrompe, seja porque é carregada de violência, e também por falta de habilidade de escuta e pela tendência para contra-atacar, em vez de prestar atenção e demonstrar que se compreendeu o que a outra parte disse.

Por esse motivo, ao longo do primeiro passo da mediação, os protagonistas do conflito se dirigem única e exclusivamente ao mediador, que é quem trata de ordenar e polir a mensagem para formulá-la com precisão, sem acusações. Desse modo, prestando verdadeira atenção, ele incentiva cada pessoa a expor seu ponto de vista sobre o conflito.

Obviamente, o mediador *precisa ser um comunicador muito bom*. Para tanto, dispõe de um significativo jogo de recursos que abrangem a expressão corporal, o uso da voz, o domínio da linguagem, a assertividade, a empatia etc., e sabe evitar erros e imprecisões, bem como adjetivos desnecessários que atrapalham o que se deseja transmitir.

A atitude do mediador é conciliadora, o que demonstra seu interesse em transformar positivamente o conflito. O discurso conciliador abranda as hostilidades e ajuda a criar a atmosfera adequada para reduzir o conflito; aponta para a flexibilidade, a concessão e a elaboração de pactos.

No momento de preparar uma saída positiva para o conflito, que satisfaça a todos e contribua para transformar pacificamente o ambiente, é preciso haver imaginação e pensamento criativo ou diferente. Isso porque os protagonistas do conflito precisam deixar de se sentir presos à situação e impotentes na hora de encontrar uma saída, para ter na mesa várias alternativas interessantes. Não é que o mediador apresente soluções, mas sim que mantenha a mente aberta e saiba estimular a criatividade daqueles que participam da mediação.

Tão necessário quanto contar com diferentes alternativas para sair do conflito é *o mediador ajudar a analisar na prática as opções mais interessantes*. Aí, sua atitude é de "pé no chão" para avaliar com critérios reais e praticidade se o que se está considerando tem possibilidade de se materializar, satisfazendo a todos. Assim, os bons acordos devem se mostrar factíveis para que sejam implantados com o máximo de garantia de êxito.

Um mediador ou uma mediadora jamais pode considerar bom um acordo que ache injusto. Já afirmamos que a mediação é um processo para construir a paz e, hoje em dia, entende-se a paz como justiça social; assim, os pactos concebidos numa mediação devem pressupor um claro avanço nessa direção. Um acordo pode ser injusto para uma das pessoas implicadas, presente na mediação, ou para terceiros, que fazem parte da conjuntura em que o conflito ocorre.

Encerraremos esta compilação de qualidades e competências que acompanham o mediador falando de *paciência e humildade*. Quando um processo de mediação não avança, topa com dificuldades significativas, há falta de colaboração, boicote etc., o mediador não se rende porque sabe que tem de ser paciente e insistir para que apareçam as condições necessárias para a evolução. Se, por algum motivo, o mediador precisar suspender a mediação, esta continuará à disposição dos oponentes, caso queiram tentá-la mais adiante. Por outro lado, é essencial que os protagonistas do conflito tomem as rédeas da situação e se fortaleçam no processo a ponto de serem capazes de encontrar a saída por si sós. Isso explica porque, ao fim da mediação, a presença do mediador quase não se nota, e no final as partes são cumprimentadas pelo trabalho, não o contrário. Fica claro, então, que o mediador tem pouca necessidade de reconhecimento pessoal.

QUALIDADES E COMPETÊNCIAS DO MEDIADOR

DISPONIBILIDADE Servir aos outros.	**CONCENTRAÇÃO** Manter-se centrado e plenamente consciente de tudo que acontece na mediação.
MULTIPLICIDADE Mostrar-se igualmente a favor de todos.	**INDEPENDÊNCIA** Ficar fora do conflito e garantir que não está envolvido nele nem com nenhuma das partes.
CREDIBILIDADE Inspirar confiança na mediação.	**SERENIDADE** Evitar o contágio emocional com empatia, mantendo sempre a calma.
DESTEMOR Aceitar a confrontação e a crítica sem temor.	**EFICIÊNCIA** Conduzir a mediação com habilidade e rapidez, demostrando domínio do processo.
DISCRIÇÃO Manter sigilo sobre o que transcorre na mediação.	**APREÇO** Acreditar na capacidade dos protagonistas do conflito.
OTIMISMO Considerar os conflitos oportunidades de mudança e melhora.	**EDUCAÇÃO** Ensinar a cultura de paz.
ESCUTA ATIVA Incentivar quem fala a se expressar, mostrando que recebe atenção total.	**COMUNICAÇÃO POSITIVA** Expressar-se com adequação e precisão, sem rotular, julgar, decidir e instruir.
CONCILIAÇÃO Manter um discurso que favoreça a compreensão mútua e o interesse de chegar a um acordo.	**CRIATIVIDADE** Imaginar soluções alternativas, gerar novas opções, vislumbrar possibilidades e manter a mente aberta.
SENSO PRÁTICO Ajudar a construir acordos úteis e factíveis.	**JUSTIÇA** Permitir somente acordos equitativos.
PACIÊNCIA Persistir mesmo em condições difíceis e dar todas as oportunidades necessárias.	**HUMILDADE** Ter pouca necessidade de reconhecimento pessoal.

O trabalho de mediação é extremamente especializado; partindo de objetivos gerais, reveste-se de uma multiplicidade de matizes, que exigem o domínio de estratégias concordantes com cada situação.

É lógico que não é necessário que uma só pessoa reúna todas as qualidades anteriores, embora se deva ter um bom domínio das competências fundamentais, aquelas que lhe permitem dar uma boa acolhida às pessoas, centrar a mediação sobre o conflito que as distancia e ajudá-las a imaginar várias soluções construtivas e justas e obter o consenso.

Por vezes, os mediadores trabalham em mediação conjunta, ou comediação, ou mesmo em grupo. O processo se desenvolve do mesmo modo, ainda que tenha um custo mais alto mas diversas vantagens, entre as quais a possibilidade de agregar as habilidades dos mediadores. Essa soma de competências pode ajudar a compensar e completar o perfil deles. Contudo, o que normalmente se busca é sua complementaridade quanto a sexo, cultura, profissão etc., a fim de ampliar o grau de eficiência do trabalho. Essa modalidade é melhor para prevenir ataques e acusações sobre suposta predileção, preconceitos e propensões na mediação.

Assim, o trabalho conjunto de mais de um mediador contribui para modelar atitudes positivas de relacionamento, ajudando a criar uma atmosfera mais descontraída e produtiva.

Num sentido mais pragmático, o trabalho compartilhado permite o planejamento conjunto e a divisão de tarefas ao conduzir o processo, a aprendizagem mútua e a avaliação de cada sessão. Outra utilidade da comediação consiste na preparação prática de mediadores novos ou pouco experientes que façam dupla com alguém que já medeia há mais tempo.

O trabalho conjunto de mediadores implica também certos desafios, como necessidade de compenetração, boa coordenação e a eventualidade de os protagonistas do conflito sentirem mais dificuldade de expor situações dolorosas diante de um maior número de pessoas.

PARTE II

A prática da mediação escolar e o plano de convivência

"Não basta falar de paz. Deve-se acreditar nela e trabalhar para obtê-la."
Eleanor Roosevelt

6. O clima de convivência

NESTE EXATO MOMENTO, AS relações interpessoais são fonte de atenção e preocupação na maioria das instituições de ensino. É totalmente compreensível que surjam conflitos entre alunos, porque as crianças, em pleno processo de mudança e crescimento, passam muitas horas por dia juntas e privadas de liberdade, num espaço reduzido onde convivem durante anos. Esses conflitos, convenientemente canalizados, fazem parte natural do dia a dia e só se transformam em verdadeiros problemas quando não se encontra uma saída adequada.

Ainda que ninguém negue a necessidade de desfrutar um clima de convivência seguro e saudável para poder aprender, quase sempre não existe esforço para criá-lo, a menos que surja algum fato que dispare o alarme. Essa despreocupação com o investimento em convivência torna-se cara, porque, quando o clima das relações é negativo, os conflitos resultam mais facilmente em algum tipo de violência contra o trabalho docente e as tarefas de aprendizagem, o material escolar ou, pior ainda, as outras pessoas.

Curiosamente, os conflitos nunca surgem de repente e costumam ter uma origem complexa e uma recorrência mais ou menos grande, na qual se reconhece uma multiplicidade de elementos que os fazem se avolumar, até que a única saída que encontram é a explosão. Quando os alunos se entediam na sala de aula, não veem sentido no que supostamente deveriam aprender; seus interesses estão em outro lugar e percebem a escola como uma imposição. Enquanto isso, a família está ausente, trabalhando o dia todo, recompondo-se da última separação, lutando para superar uma infinidade de crises. Sem confiar na escola, refugiam-se em certos companheiros e companheiras igualmente perdidos, sem mais referenciais que não as telas, com uma visão distorcida do mundo e com pouca perspectiva de futuro. Então, no momento em que surge um conflito em classe, soa bastante absurdo pensar que se poderá contê-lo com facilidade "aqui e agora", sem um trabalho prévio e consistente. E é também inconsequente confundir uma ação pontual e eficiente diante de um conflito com sua verdadeira solução.

OS AGENTES

Contudo, não nos esqueçamos de que, para criar e manter um clima positivo nas relações, os alunos representam a porção numericamente majoritária, mas o papel desempenhado pela minoria docente é determinante. A maneira de organizar o trabalho em sala de aula e as opções de que os alunos dispõem para ser ouvidos e participar das decisões que os atingem ou o tipo de gestão dos conflitos pelos professores são elementos que incidem diretamente sobre o clima da convivência.

Fingir que os conflitos na escola são de responsabilidade dos alunos é algo indefensável.

Todos os adultos que trabalham na escola, seja na orientação educacional, nas atividades extracurriculares, na administração, no refeitório, na diretoria etc., têm participação no clima de convivência, podendo contribuir para sua melhora ou deterioração.

Da mesma maneira, as famílias, com seu jeito de ensinar os filhos e de participar da escola, demonstram corresponsabilidade na educação. Seu papel como ambiente de socialização primária é inquestionável, já que alfabetizam em valores, sentimentos, atitudes e comportamentos com uma linguagem simultaneamente informal e formal.

Assim, quando estoura um conflito numa escola, são muitos os implicados. Não se trata de que todos pensem a mesma coisa; o importante é que a cultura do diálogo e da paz se afirme entre todos. E, ainda que quando se fala em conflitos na escola se comece a apontar os defeitos e as falhas dos diferentes agentes educacionais, como acabamos de fazer nos parágrafos anteriores, é certo que a preocupação com o bem-estar é um anseio legítimo compartilhado por todos os setores da comunidade escolar.

Portanto, o "ruído" causado por comportamentos negativos não deve ser identificado com a opção da maioria, uma vez que cada dia são mais numerosas as pessoas comprometidas com a paz que exercitam os valores da solidariedade com quem se encontra vulnerável – refugiados, sem-teto, enfermos etc. – e desejam estabilidade e calma à sua volta.

CARACTERÍSTICAS DO CLIMA DE CONVIVÊNCIA

Considera-se hoje em dia que o clima de convivência deve ser *democrático, plural, inclusivo e pacífico*. Cada um desses elementos constitui um desafio para uma organização escolar com um passado bastante hierárquico, uma missão qualificadora e a serviço de uma cultura dominante que agora deve transitar para o poder compartilhado, para a igualdade de todas as pessoas, sem exceção, e para a paz, como modo justo de viver.

O ambiente escolar *democrático* deriva da participação ativa e real de todos os membros da comunidade educacional, a começar pelos meninos e pelas meninas, que, todavia, constituem a grande maioria silenciosa. O corpo discente deve ter voz e capacidade de decisão em tudo que o atinja: programas educativos, organização do grupo, uso do tempo e do espaço, avaliação etc. Pode-se dizer o mesmo das famílias e do corpo docente. Este, ainda que em geral seja considerado o setor dominante que se apropriou da escola, ficou com pouca margem de ação por causa da burocratização extrema e da super-regulamentação do sistema educacional.

A *pluralidade* de características pessoais só enriquece o ambiente de aprendizagem, já que a confluência de ideias e de modos distintos de viver e compreender o mundo afasta o pensamento único, incentivando, assim, a abertura mental necessária para aceitar outras opções e integrá-las ao próprio universo cultural. A pluralidade também apresenta o desafio de ter de escutar, colocar-se na pele outro, aceitar o diferente, questionar a si mesmo e construir visões de mundo híbridas, nas quais se encaixem mundos diferentes.

A escola *inclusiva* caracteriza-se pela eliminação de todas as barreiras de acesso ao saber e à cultura. Trata-se de buscar estratégias que aumentem as opções de aprendizagem de qualquer pessoa, sejam quais forem seu ponto de partida ou suas aptidões individuais. Quando se diversificam os locais de aprendizado, são mais numerosos os que têm êxito na escola, e é a essa instituição, especializada no ensino, que cabe permitir que todos possam conquistar seus objetivos e desenvolver seu talento ao máximo. Como se vê, esse modo de trabalhar contrasta fortemente com os enfoques tradicionais, segundo os quais os alunos devem responder às expectativas da escola, e não o contrário, tal como se propõe aqui.

Uma escola *pacífica* busca a harmonia intrapessoal e interpessoal, oferecendo um tratamento digno e justo a todos, apostando na cooperação e na não violência como modo de relacionamento e desenvolvendo a compaixão e a solidariedade com os mais vulneráveis. Numa escola pacífica, todos contribuem para o bem-estar comum e a educação deixa de ser um bem e um êxito individuais para se tornar uma contribuição e uma conquista coletivas.

Quando o clima escolar é positivo, as pessoas se sentem bem atendidas, consideram que o tratamento que recebem é equitativo, que são valorizadas por sua capacidade e progresso, orgulham-se de pertencer a essa escola e em geral se sentem satisfeitas.

São muitos os fatores que convergem para o bom clima de convivência nas aulas e na escola. Alguns são pessoais; outros, de organização, espaciais, relativos às atividades realizadas etc. Na realidade, se deveria falar de microclimas de convivência, pois é bem possível que um aluno não se sinta à vontade na sala de aula, mas sim no grupo de teatro ou no time de um esporte.

Os microclimas positivos são um fator de proteção e podem dar pistas sobre a melhor maneira de integrar cada pessoa ao conjunto de ambientes de aprendizagem da escola.

AÇÃO PROATIVA E PREVENTIVA

Entretanto, o mais interessante é, sem dúvida, tomar consciência de que uma ação proativa e preventiva é sempre preferível a reagir apenas diante de carências, disfunções ou problemas. Entendemos por ações proativas aquelas cujo objetivo é gerar afeto, ou seja, atividades voltadas para a criação de vínculos positivos no seio da comunidade, propiciando que as pessoas se conheçam, tenham oportunidades para interagir construtivamente, desenvolvam a sensação de pertencer ao grupo e à escola, sintam-se artífices e partícipes de tudo que acontece lá e colaborem entre si.

Quanto às ações preventivas, são as que se voltam para proporcionar segurança ou – o que dá no mesmo – gerar um ambiente protetor, tomando precauções ante perigos possíveis ou regulando de modo democrático a convivência na escola.

No momento de criar normas de convivência, deve-se contar com a representação e a participação de todos os setores da comunidade escolar, os quais, mais do que estabelecer o que se pode ou não se pode fazer na escola, deveriam trabalhar com a ideia de como queremos nos sentir nesse ambiente.

Como se costuma dizer, a boa escola não é a que não tem problemas, mas a que se organiza para encontrar boas soluções para eles.

7. Aposta na convivência pacífica

O DESEJO DE CONVIVER em paz é uma inquietação social e uma preocupação mundial. Nesse sentido, a escola não faz mais que somar-se a um desafio de toda a humanidade de um ponto de vista educacional. As desigualdades entre as pessoas são fonte clara de conflito em todo o planeta. Pode-se pedir a quem sofre algum tipo de discriminação que seja pacífico? Seria justo? De que recursos as pessoas dispõem para conseguir aquilo que, por direito, lhes é devido? O que fazer diante do abuso, da opressão e da injustiça?

Antes de apostar numa convivência pacífica, devemos refletir sobre o compromisso que vamos assumir. O marco da cultura de paz mostra, de saída, que não leva a lugar nenhum atuar diante de uma conduta negativa sem querer conhecer o contexto que a provoca.

Na escola, por exemplo, as desigualdades relativas a idade, nível de conhecimento, sexo, cultura, aparência, resultados escolares, religião, família, expectativas, habilidades, poder, nível econômico, papéis, condições físicas e mentais, entre outros aspectos, são muito presentes – e, obviamente, obter um bom equilíbrio é uma tarefa árdua, sobretudo porque boa parte dessas diferenças surgiu fora da instituição escolar.

Como ponto de partida, devemos ressaltar uma ideia muito simples: a diversidade é natural, ao passo que a desigualdade é provocada artificialmente. Nunca existiram dois seres humanos idênticos, ainda que pertencentes à mesma etnia, a uma cultura idêntica ou ao mesmo sexo, porque seria antinatural. Como é possível que a escola, ainda assim, espere homogeneidade entre pessoas segundo o critério único da idade?

Para transformar um ser humano diferente em um desigual, a sociedade deve agir vezes seguidas desvalorizando-o, rotulando--o, marginalizando-o e reduzindo suas opções de vida. O fato de que a complexidade do mundo em que vivemos torne esse ato distante, invisível, indireto e anônimo não significa que não seja deliberado. Tantas vezes se garantiu que existem alimentos suficientes para erradicar o estigma da fome do planeta! Porém, interessa? Poderíamos responder fazendo referência a macrointeresses econômicos, políticos, lutas internas de poder etc., mas é certo que a escola jamais pode ter argumentos para a desigualdade. Recordemos, mais uma vez, que a missão da educação não é outra senão proporcionar igualdade de oportunidades.

Por isso, o caminho a que a escola deve recorrer é obrigatoriamente o da paz, e, como instituição, esse é o horizonte para o qual deve apontar na formação de uma geração após a outra. Mesmo concordando com esse ponto, o que se entende por convivência pacífica nem sempre é uma mesma coisa.

Vejamos três depoimentos como exemplo de modos bem diferentes de trabalhar pela boa convivência na escola, fomentando o controle, o diálogo e a não indiferença.

DEPOIMENTO 1: CONTROLE

"Não gosto de que na minha sala de aula haja alunos que incomodam os outros. Para muitos garotos e garotas, a escola é hoje o único lugar onde o respeito e o trabalho são valorizados. Como professora, procuro identificar o mais cedo possível as 'maçãs podres', que sempre existem, para isolá-las do resto e controlá-las com mão firme, já que o mais importante para mim é dar um bom ensino na minha matéria. Meu lema é 'se não querem aprender, pior para eles, mas que pelo menos não incomodem os outros'. Os alunos agradecem a mim porque, na realidade, todos estão fartos do mau comportamento. Acho que deveria haver alternativas fora da escola para esses jovens. É verdade que alguns têm um grande atraso e uma família que não se preocupa muito com eles, mas não somos irmãs de caridade!"

DEPOIMENTO 2: DIÁLOGO

"Não gosto de que na minha turma haja alunos que incomodam os outros. A escola é hoje um lugar onde garotos e garotas são valorizados e se incentivam o respeito e o trabalho. Como professora, procuro dar a eles recursos para que saibam o que fazer diante de um conflito e dialogo com eles quando surge um problema, já que o mais importante para mim é formar pessoas boas por meio da minha matéria. Meu lema é 'a melhor maneira de vencer é convencer'. Os alunos agradecem a mim porque, na realidade, aprendem com seus erros e acham mais eficiente a correção que o castigo. Deveria haver mais alternativas para esses jovens. É verdade que alguns têm um grande atraso e uma família que não se preocupa muito com eles, mas todos merecem uma oportunidade!"

DEPOIMENTO 3: NÃO INDIFERENÇA

"Não gosto de que na minha sala de aula haja alunos que incomodam os outros. A escola é hoje um lugar onde se valoriza a dignidade de todas as pessoas e o respeito e o trabalho são incentivados. Como professora, tento fazer que todos conheçam, além da minha matéria, os direitos humanos, e os estimulo a fazê-lo, já que o mais importante para mim é não ficar impassível diante das injustiças. Meu lema é 'um mundo melhor é possível'. Os alunos agradecem a mim porque, na realidade, se dão conta de que o presente e o futuro pertencem a eles. Acho que essa conscientização abre novas alternativas na escola para esses jovens. É verdade que alguns têm um grande atraso e uma família que não se preocupa muito com eles, mas a educação é um direito!"

Esses três depoimentos mostram posições aparentemente parecidas diante do conflito, mas radicalmente diferentes. Se têm algo em comum, é a objeção ao comportamento negativo e a disposição da professora de enfrentar a situação. Seria pior encontrar um docente passivo que olha para o outro lado esperando que os problemas se resolvam sozinhos, com o tempo, ou sejam resolvidos pelos alunos ou pela direção da escola. Também têm em comum o compromisso com a matéria que ensinam e, pelo fato de investirem na convivência, a não renúncia ao conhecimento e ao saber que sua disciplina proporciona.

O PAPEL DO DOCENTE

No primeiro caso, o objetivo da professora é interromper o conflito e *manter a classe sob controle*, exercendo sua autoridade e impondo a disciplina. Seu maior interesse é transmitir a matéria, pela qual se sente muito responsável. Assim, pensa que quem tem boa conduta sai ganhando e os que têm dúvida sobre o comportamento em classe são dissuadidos de imediato. Ela se concentra na aparência do conflito, pois não analisa nem as causas nem os motivos que levam os alunos a se comportar de determinado modo. Se um aluno tem um comportamento positivo, não se pode saber se é por medo de ser repreendido, pela reação da família, para chamar a atenção, para não ser notado, ou se obedece porque elaborou valores de convivência positiva por conta própria. Em caso de comportamento negativo, ela não se aproxima do aluno para ajudá-lo a melhorar e o responsabiliza individualmente pelo problema.

Esse é um modelo de convivência negativo, em que se consegue a paz à força e se perpetuam as injustiças, já que, na verdade, os garotos e as garotas mais necessitados são os que menos recebem, dando lugar ao paradoxo de que o tratamento "igual" não é "equitativo". Aí são defendidas as normas, a disciplina, a mão de ferro, a competitividade, o individualismo e a exclusão do sistema educacional.

No segundo caso, o objetivo da professora é que se fale dos conflitos e se procure uma *solução pelo diálogo*. Seu interesse primordial é formar pessoas integralmente; com isso, além de sua disciplina, ensina a conviver com os demais. Crê que sua missão seja formar cidadãos capazes de aprender com os erros, superá-los e repará-los. Exerce a autoridade democraticamente e dá responsabilidade aos alunos para que se relacionem positivamente em sala de aula. Vai ao fundo do conflito e constrói a empatia, a escuta ativa, a cooperação, a criatividade, o consenso e outras técnicas, a fim de buscar uma saída positiva para a situação.

Essas habilidades da vida mostram-se úteis a todos os alunos, que devem enfrentar conflitos dentro e fora da escola, e os preparam para fazê-lo com eficiência ao longo da vida. É um modelo de convivência positivo que admite, contudo, que a paz é imperfeita, mas exequível. Aí são defendidos a educação emocional, as práticas participativas, a mediação de conflitos, a justiça restaurativa, o apoio entre colegas, uma educação ao alcance de todos, a cooperação e a inclusão.

No terceiro caso, o objetivo da professora é *formar para um mundo melhor*, onde todas as pessoas possam alcançar suas metas e contribuir para o bem-estar comum. Compromete-se com a luta por um mundo pacífico com base na educação e ensina sua disciplina conforme os direitos humanos, fomentando o espírito crítico e a conduta fundada em valores éticos. Compartilha sua autoridade dando responsabilidade e poder aos alunos, que devem controlar a própria conduta e comandar seu aprendizado. Os conflitos são vistos como oportunidades para a mudança;

buscam-se suas causas, fugindo de uma ótica superficial e simplista, e se trabalha por soluções justas para todos.

Esse modelo de convivência é positivo e procura erradicar todo tipo de violência, seja ela direta, estrutural ou cultural. Ele defende os direitos de todas as pessoas, a igualdade, a consideração, a combatividade positiva, a solidariedade e o compromisso com a transformação da escola e da sociedade.

Sem dúvida, esses três enfoques da convivência pacífica coexistem numa mesma comunidade escolar, e a tarefa consiste em transitar do controle para o diálogo e do diálogo para a luta pela justiça universal, visto que o último modelo contém os dois anteriores. A mediação contribui enormemente para que se passe de um modelo ao seguinte, pois promove em si mesma o controle (autocontrole) em situação de conflito, propicia o diálogo e pressupõe um modo de agir diante das injustiças.

Sem dúvida, falta na formação de docentes das várias fases da educação a capacitação em gestão de grupos e no desenvolvimento das competências socioafetivas.

A fim de dirigir o olhar para as pessoas, já não individual, mas coletivamente, são necessárias estratégias que contribuam para estruturar o grupo como tal, proporcionar-lhe instrumentos para a autogestão e gerar dinâmicas entre adultos e crianças que visem ao bem-estar de todos e apoiem as tarefas de ensino e aprendizagem.

8. Uso da mediação na escola

A MEDIAÇÃO É APLICADA em escolas de todo o mundo desde os anos 1960, quando famílias e docentes passaram a valorizar a necessidade de formar pessoas que soubessem resolver seus desacordos por si sós e pacificamente. A mediação escolar segue a mesma dinâmica que os processos de mediação em qualquer outro âmbito, mas com traços próprios, que a tornam especialmente interessante. Destacaremos a seguir os elementos que a mediação oferece ao contexto educacional, os quais justificam sua incorporação à escola.

Para começar, frisemos que a finalidade da mediação escolar é, antes de tudo, educativa. Ela toma corpo no conflito, na convivência e na paz, dando a meninos e meninas competências que lhes permitam renunciar à violência no momento de defender seus interesses e lutar por seus objetivos, de uma perspectiva crítica e comprometida.

A aprendizagem adquirida leva as novas gerações a considerar natural o conflito, o que, com a devida orientação, pode ajudá-las a crescer e se fortalecer. Também se costuma enfatizar os desafios que os conflitos acarretam para os indivíduos, ao mesmo tempo que se esquece do custo dos confrontos para o grupo, o que deve ser levado em conta quando se busca uma solução. Por sua vez, uma compreensão melhor do conflito permite sua melhor expressão e percepção, de modo que as escolas percebam o que não funciona bem, detectem as áreas por aprimorar e identifiquem as oportunidades de mudança.

Por se tratar de um aprendizado que se constrói na prática cotidiana, as competências de mediação se fortalecem e são utilizadas também fora da escola. Essa transferência para a família, a vizinhança, as amizades e as situações de lazer vai ampliando a cultura de diálogo que sustenta a mediação no seio da sociedade. As pessoas formadas em mediação afirmam que as competências adquiridas lhes são úteis em diversas situações e que as aplicam em circunstâncias muito variadas. Isso se dá, em parte, porque a mediação comporta a complexidade que caracteriza a vida dos seres humanos do século 21 e compreende suas circunstâncias fora de um modelo linear de causa e efeito.

Os valores que guiam as pessoas ao longo da vida só são adotados por convencimento, nunca por imposição ou doutrinação. Nesse sentido, a mediação de conflitos encarna valores associados à escuta, ao diálogo, à compreensão, à assertividade, à empatia, ao espírito crítico, à pluralidade, à colaboração ou à solidariedade, que dignificam o ser humano e fogem da esfera meramente teórica (às vezes utópica) para tornar-se palpáveis nas tarefas cotidianas.

Desse modo, a construção do espírito crítico se associa à ação: não se trata apenas de destacar o que não funciona, mas agora também se pode e se deve agir. Sem dúvida, num mundo globalizado são necessárias mais do que nunca pessoas formadas no compromisso ético de repensar o presente para concretizar um futuro mais justo.

Enquanto olhamos para os países escandinavos em virtude do grau de sucesso educacional que alcançaram, existem outros ensinamentos realmente valiosos vindos de culturas de regiões ainda em desenvolvimento. Um exemplo é o conceito de *ubuntu*, originário do sul do continente africano, que enfatiza a lealdade entre as pessoas com base no fato de que "eu sou porque somos", um vínculo universal que ensina a estar disponível para os outros, apoiá-los e escutá-los de modo solidário. Essa ética do diálogo que conecta fortemente as pessoas entre si, afastando-se do individualismo tão presente em nossa realidade, predispõe os indivíduos a agir a fim de contribuir para o progresso da comunidade.

A LIDERANÇA POSITIVA DOS ALUNOS

A mediação dá as boas-vindas à liderança positiva dos alunos. Costumam destacar-se como líderes garotos e garotas que de um modo ou de outro se rebelam contra a escola, mas existem poucas oportunidades para os que têm disposição de investir energia na promoção do bem-estar do grupo. Sem dúvida, a maioria das pessoas deseja desfrutar um clima de convivência fundado na cordialidade e no respeito, acolhedor e justo para todos, e esse sentimento pode ser obtido por meio da mediação, por se tratar de um processo que almeja o ganho mútuo e projeta cenários futuros melhores.

Entre as características de um bom líder, ocupam lugar de destaque as competências de comunicação, a empatia, a cooperação ou a criatividade, que são pouco valorizadas nas qualificações escolares, mas têm reconhecimento e comprovam sua validade na vida cotidiana. Com a mediação, entram em ação, portanto, as competências pessoais e sociais dos membros da comunidade escolar, as quais se colocam a serviço dela.

A aprendizagem da mediação tem um reconhecido efeito protetor na infância e na adolescência, não só por evitar o aumento dos conflitos, mas também por permitir que crianças e jovens conheçam seus direitos e desenvolvam a assertividade e as demais capacidades de comunicação, as quais possibilitam a denúncia e o enfrentamento de situações de abuso, injustiça ou violência a que estejam expostos em qualquer ocasião. Desse modo, a mediação contribui para a redução de riscos e o desenvolvimento da perseverança, fatores que redundam positivamente na vida dos mais vulneráveis.

ASPECTOS POSITIVOS DA MEDIAÇÃO

No campo dos estudos da paz existe o conceito de "dividendos da paz", que quantifica o que se poupa quando não se investe em guerras (armamento, vidas humanas, locais arrasados, feridos, edifícios, vias públicas e pontes destruídas, gerações sem acesso à educação e um longo etcétera). Bem, a mediação gera dividendos de paz muito elevados: tempo, bem-estar, aprendizagem, rendimento acadêmico, felicidade, saúde física e psicológica, liberdade... Quando não se investe na construção da paz, não resta saída senão desperdiçar recursos em mecanismos de controle.

Além disso, a equipe de mediação é um instrumento de ativação do *sentimento de pertencer* à escola, sobretudo entre seus integrantes. Já comentamos que o ensino quase sempre entende o aluno como indivíduo, atendendo a suas necessidades, estimulando seu progresso e avaliando seus resultados escolares, mas se esquece de considerar de que maneira essa formação pessoal se aplica ao ambiente e ao grupo, dando-lhe pleno sentido. Além disso, ao se sentir excluída, a pessoa não apenas não soma como prejudica. Nesse sentido, a mediação exemplifica o interesse no bem comum e no progresso de todos.

As escolas que abrem as portas à mediação devem ter consciência de que *promovem a participação* dos alunos em pé de igualdade com os adultos, já que se trata de uma participação autêntica. Certamente, o ponto de vista de crianças e adolescentes contrastará com o da instituição e também o questionará, contribuindo com um olhar renovador sobre a inércia instaurada. A educação mútua entre gerações distintas é um elemento transformador que torna a escola um agente de mudança, ao mesmo tempo que a distancia da mera transmissão e reprodução da cultura. O papel do docente também muda, pois se abre ao debate e à reflexão sobre a realidade, associando melhor a educação e a vida, dando à educação esse sentido social de que temos sentido falta. A mediação ajuda a elaborar as inquietações das diferentes pessoas da escola, sobretudo os alunos, e as canaliza construtivamente.

Sintetizando o que dissemos até aqui, vemos que a mediação incide na formação integral do ser humano porque o ensina a ser gente e a conviver com os outros. Esses dois pilares da educação têm-se comprovado, até o momento, os mais inconstantes do sistema educacional – em parte porque existe quem ache que pertencem à esfera privada e à família ou os associe a determinadas crenças espirituais e, de outra parte, porque no mundo globalizado têm sido valorizadas as chamadas competências "fortes" (competências acadêmico-disciplinares) diante das "suaves" (competências para a vida). Não obstante, cada vez mais os profissionais são considerados por sua capacidade de trabalhar em equipe, resolver desafios, ter autocontrole emocional, perseverança etc., atitudes que levam a escola a incorporar as competências para a vida em seus programas, por meio da mediação ou de outras opções igualmente válidas.

A VERTENTE EDUCATIVA DA MEDIAÇÃO

Ainda que a vertente educativa da mediação seja, do nosso ponto de vista, seu valor mais interessante, está claro que também tem efeitos imediatos nos conflitos que surgem na escola. Às vezes, as instituições educacionais agem com pretensão de normalidade, ou seja, sem considerar as dificuldades vitais que atingem garotos e garotas, que devem permanecer parados e calados em grupos numerosos, sem poder expressar as vivências, talvez dolorosas, que carregam consigo: tudo continua como se espera desde que os conflitos fiquem ocultos. Pois bem, para entrar nesses territórios carregados de fortes sentimentos não basta haver intervenções pontuais no momento em que ocorre um episódio violento que interrompe o trabalho docente ou atrapalha a boa convivência.

Para superar situações difíceis, são necessários rituais elaborados e bem estruturados – a mediação seria um deles –, que ajudem a canalizar os momentos de grande carga afetiva, distanciando-se e fazendo aflorar a palavra.

Em princípio, mediadores e mediadoras podem agir diante de qualquer tipo de mal-estar, sem que se trate de uma conduta tida como contrária à convivência ou negativa para a escola. Seu trabalho, que nesse caso se considera "proventivo" (de prover), consiste em detectar disfunções e pontos de atrito para corrigir as deficiências que se apresentem e decidir quais recursos serão necessários para obter uma convivência harmônica.

Os mediadores também podem realizar uma intervenção precoce nas necessidades, nos interesses ou nas expectativas que as pessoas da comunidade educacional considerem não atendidas, os quais pouco a pouco levarão ao confronto. Aqui, o trabalho é "preventivo" em dobro: de um lado, é óbvio que atender às pessoas no princípio do conflito evita que ele cresça de maneira irremediável até constituir falta grave ou descumprimento de um dever; de outro, como já se comentou, os conflitos não revelam senão o incômodo, o desencontro ou o choque entre visões diferentes a respeito de uma mesma situação, os quais, na realidade, indicam que essa questão não está resolvida e pode melhorar.

Assim, a mediação facilita a detecção de locais para mudança e inovação que, se abordados de modo construtivo, podem transformar a realidade para melhor, de tal maneira que os conflitos, em lugar de necessariamente negativos, tornem-se desafios e oportunidades para progredir.

Além dessa atuação *proventiva e preventiva* sobre conflitos ainda não expressos, incipientes ou de baixa intensidade, a mediação administra conflitos evidentes em tempo real e no local em que são produzidos, sendo esse seu objetivo explícito. Até agora, quando se forma um conflito nas escolas, só se pode esperar uma reflexão por parte do coordenador ou da coordenadora, uma advertência e, se cabível, uma sanção externa que condene a conduta negativa. Todavia, a mediação proporciona, acima de tudo, um espaço de escuta e compreensão que, sem julgar as pessoas, lhes dá a oportunidade de propor uma saída por si mesmas (de dentro). Esse procedimento vincula profundamente a mediação à cultura de paz, já que só se pode alcançar a paz verdadeira por meios pacíficos. No entanto, há mais. Ressaltamos que a mediação pode ser preventiva e realizada no momento em que estoure o conflito, mas também depois disso. Quando se dá por resolvido um conflito com uma sanção, na melhor das hipóteses consegue-se rotular a conduta de negativa, mas raramente se modifica o ambiente ou a situação que gerou o problema. Depois do conflito e da sanção, a continuidade das interações pessoais na escola é um fator de pressão que não pode ser ignorado, porque, se nada muda, o mais provável é que o conflito ressurja.

A mediação tem um efeito curativo quando aplicada ao final de toda a história do conflito. Sua missão é preparar o caminho para a coexistência pacífica e, se possível, para a *reconstrução* mediante a reparação, o perdão e a reconciliação.

De modo análogo, as esferas de restauração, pelo fato de incorporarem um grupo amplo de pessoas relacionadas com o conflito, permitem reorganizar o contexto para que a nova situação resulte favorável e positiva para todos.

A presença da mediação no ambiente escolar não é pontual, com o que concordam as instituições que concebem a atividade de mediadores e mediadoras de maneira ampla, isto é, como promotores de um clima de convivência positivo que podem agir propondo atividades lúdicas, encontros de toda a comunidade, atividades participativas, criação, adoção e revisão de regras, detecção e diagnóstico precoce de conflitos e desafios para melhorar, intervenção em conflitos evidentes, intervenção em conflitos fechados, relação e vínculos com o ambiente da escola, acompanhamento de colegas em momentos especiais, promoção de campanhas, estudo de temas específicos, ações solidárias de âmbito mundial e muito mais.

CENÁRIOS DA MEDIAÇÃO

ANTES DO CONFLITO: *PROVENÇÃO*	NO INÍCIO DO CONFLITO: *PREVENÇÃO*	DURANTE O CONFLITO: *GESTÃO*	DEPOIS DO CONFLITO: *RECONSTRUÇÃO*
As pessoas formadas em mediação podem detectar e analisar os contextos de um possível conflito e propor medidas e recursos para a convivência positiva e o bem-estar geral.	O conflito não precisa ser grave para que os mediadores intervenham, pois uma atuação precoce pode devolver tranquilidade e harmonia às pessoas em conflito, sem que este se amplie.	A mediação é a opção dialogada de gestão de conflitos que já eclodiram e, ainda assim, oferece aos participantes a oportunidade de decidir por si mesmos uma saída construtiva e consensual para o conflito.	Quando se acomoda um conflito por meio de sanção, pode-se entender que o problema esteja solucionado, ainda que algumas inquietações continuem latentes e as relações pessoais, prejudicadas; diante disso os mediadores podem trabalhar para compor novas confluências.

O fato de que a mediação escolar esteja não nas mãos de profissionais, mas nas das famílias, dos docentes e sobretudo dos alunos, constitui a base para que esse processo de diálogo e empatia seja um recurso de alcance social para a população em geral e para as novas gerações em particular. O hábito de gerir os próprios conflitos por essa via abre as portas à mediação mais profissional como opção válida ao longo da vida e contribui para a materialização de uma cultura de paz cotidiana.

Cada vez mais, a opção por mediar em lugar de denunciar e disputar transforma as sociedades que já não se conformam com a penalização e buscam a reparação e a reconciliação, enfoque muito mais satisfatório e abrangente, sobretudo com as vítimas de qualquer contratempo.

Quando dizemos que indivíduos de todos os setores da comunidade educacional se incorporam às equipes de mediação escolar, assinalamos o fato de que, no momento de mediar – e ainda mais caso se trabalhe com mediação conjunta –, as fronteiras tradicionais entre docentes, famílias, alunos e pessoal da administração e de serviços se diluem e dão lugar a uma demonstração real do que é uma verdadeira comunidade educacional, a uma maior inclusão e à força que a colaboração dá à luta por objetivos comuns. A mediação, portanto, baseia-se no diálogo igualitário e em relações horizontais.

A atual inovação educacional assume duas direções opostas, a nosso ver. De um lado, temos as instituições fundadas em novas metodologias que convidam especialistas de fora e fazem deles um novo modo de conviver na escola; de outro, temos um quadro docente em ebulição cujo principal recurso é o debate pedagógico, que o leva a questionar o próprio trabalho, a refletir, a investigar e a aconselhar-se para, logo a seguir, passar à ação.

Entre as dinâmicas de cima para baixo ou as de baixo para cima, optamos por estas, pois elas fortalecem as pessoas e a comunidade que constituem. É bem provável que os centros educacionais que se voltarem para o debate permanente também estarão em conflito permanente, motivo pelo qual a incorporação de estratégias de solução pacífica de disputas deve fazer parte dos instrumentos de mudança e da gestão que tira proveito da inteligência coletiva.

9. Programas de mediação escolar

Os CAMINHOS PARA IMPLEMENTAR a mediação na escola são muito diversos e dependem de cada contexto. Assim, seria inadequado adotar um modelo e ajustar-se aos seus preceitos. A idiossincrasia de cada escola deve ser levada em conta quando se planeja um programa sob medida.

Neste capítulo, apresentaremos os *objetivos* dos programas de mediação escolar e as *etapas* de sua implementação, além das várias *opções* na hora de defini-los.

OBJETIVOS

Os programas de mediação visam a objetivos que, sob formulações diferentes, pretendem:

- Aceitar a singularidade de cada ser humano e apoiá-lo no desenvolvimento de todo o seu potencial.
- Possibilitar a ligação de cada indivíduo consigo mesmo, com o grupo e a comunidade.
- Contribuir para que as pessoas possam se relacionar pacificamente com as outras nas mais diferentes circunstâncias.
- Trabalhar por um ambiente de aprendizagem acolhedor, seguro e saudável.
- Pôr em prática os valores da convivência positiva.
- Abrir caminho para o diálogo, estimular a compreensão mútua e buscar o consenso.

- Resolver os conflitos promovendo soluções construtivas de ganho mútuo.
- Fomentar um sentido de justiça com base no cultivo da paz positiva e na defesa ativa dos direitos humanos.
- Impugnar a violência como opção válida em confrontos.
- Estimular ações de reparação, reconciliação e reconstrução depois do conflito.
- Desenvolver a criatividade e comprometer-se com a transformação e o aprimoramento da escola.
- Participar de atividades solidárias com a comunidade.

ETAPAS

A implementação da mediação passa por uma série de etapas até que se possa considerar plenamente instaurada na escola.

CONSCIENTIZAÇÃO DA COMUNIDADE ESCOLAR

Antes de introduzir a mediação na escola, convém conscientizar-se sobre seus objetivos e os benefícios que pode propiciar. Também é importante dar uma primeira informação sobre os requisitos do programa e o funcionamento da mediação. Além disso, devem ser ajustados os recursos e as condições disponíveis para se formar como mediador ou mediadora. Desnecessário dizer que a mediação deve ser apresentada a todos os setores da comunidade educacional, caso se opte por uma equipe mista ou pela capacitação apenas de docentes ou alunos.

No final dessa etapa, a escola deve ter gerado interesse, confiança, motivação e expectativas positivas pelo programa.

SELEÇÃO DE FUTUROS MEDIADORES

Depois de decidir introduzir a mediação na escola, o primeiro passo é identificar os participantes. Pode-se recorrer a voluntários ou eleger candidatos. Em qualquer caso, deve-se determinar o número de pessoas que participarão do curso ou da oficina, cuidando para que representem a diversidade da escola. Os programas mais bem-sucedidos costumam ser os que misturam pessoas de idade, sexo, origem e funções diferentes. Formada a futura equipe de mediação, obtém-se seu compromisso de completar a formação.

CAPACITAÇÃO DA EQUIPE

São necessárias no mínimo 20 horas de formação inicial de mediadores e mediadoras escolares. Essas sessões costumam ocorrer fora do horário letivo para que mais pessoas possam estar presentes. Sua finalidade é desenvolver o perfil de mediador de cada participante por meio do treinamento das várias habilidades e da reflexão sobre o processo. No entanto, é na prática que se faz o verdadeiro mediador, porque põe em jogo todas as suas estratégias e demonstra seu compromisso com as pessoas em conflito. No capítulo seguinte, abordaremos os conteúdos, as metodologias e as demais questões relativas à capacitação.

CONFIGURAÇÃO INICIAL

O lançamento da mediação requer que se tomem decisões concretas a respeito de seu funcionamento na fase de testes. Isso significa que se deve esclarecer nessa etapa o alcance que a equipe quer dar à mediação para treinar e comparar o aprendizado com a realidade, porque, depois de iniciado o programa, ficará mais fácil acertar sua configuração definitiva. Assim, convém escolher uma pessoa para coordenar a equipe, formar duplas de mediadores, distribuir o período da mediação (em geral, fora do horário das aulas), encontrar uma sala e prepará-la, prever quem pode solicitar uma mediação e como fazê-lo, estabelecer que tipo de conflito será aceito, planejar as estratégias de apresentação do serviço e qualquer outro aspecto funcional que se considere necessário em cada escola.

APRESENTAÇÃO DA EQUIPE E SERVIÇO DE MEDIAÇÃO

A campanha de divulgação antes do início da mediação pode tomar formas muito diversas, conforme o tempo e os recursos à disposição, as habilidades e a criatividade do grupo e a colaboração da escola pela internet, por redes sociais, revistas, cartazes, coordenadores, representantes etc. Sua finalidade é apresentar os mediadores, seu compromisso, quem pode recorrer a eles e como e onde fica a sala de mediação. Quanto mais impressionante for a campanha, melhor será para atrair os primeiros participantes a esse processo de gestão positiva de conflitos.

INAUGURAÇÃO DO SERVIÇO E PRIMEIRAS MEDIAÇÕES

Para poder mediar conflitos reais, é preciso que a comunidade escolar se familiarize com o processo. O que importa é começar e que a notícia se espalhe pela escola. Entre as estratégias que funcionam estão a condução de conflitos pelos professores e o constante trabalho pedagógico dos mediadores, que prestam informações e convidam à mediação. Depois de anos de experiência, em muitas escolas é obrigatório que o primeiro passo para a solução de um conflito seja recorrer sempre ao serviço de mediação apenas para saber como funciona. A decisão de não o fazer e iniciar o processo ou de optar por outras vias (esquecer, brigar, denunciar etc.) cabe a cada uma.

REUNIÕES DE REVISÃO E APERFEIÇOAMENTO

A formação em mediação nunca termina, pois existe uma infinidade de técnicas que podem ser incorporadas e novos desafios para encarar. Por isso, uma vez superada a etapa introdutória, o coordenador ou a coordenadora reúne periodicamente a equipe em sessões de trabalho para avaliar o serviço, a identificar resistências, detectar novas necessidades, rever casos, analisar as competências dominadas, planejar ações futuras, renovar a equipe etc. Além disso, depois da orientação inicial, é preciso definir qual será o lugar da mediação na escola.

É típico dessa etapa ampliar a oferta de mediação a qualquer pessoa que a solicite e estabelecer limites claros para não colidir com as normas. Assim que são introduzidas as mudanças e as melhoras pertinentes, redige-se o projeto de mediação para apresentá-lo oficialmente aos funcionários e à coordenação pedagógica, que deverão aprová-lo.

MANUTENÇÃO E EXPANSÃO

A manutenção do serviço de mediação é tão ou mais importante que sua criação e, se se pretende instituir a mediação na cultura da escola e torná-la um elemento valioso para seu sucesso, deve ser levada a sério. Assim, a equipe de mediação deve preparar um projeto anual forte e dinâmico para apresentá-lo ao resto da escola, procurar maneiras de continuar se renovando e substituir cada mediador que saia por um novato, participar de encontros e atividades de mediação extraescolares, compartilhar notícias, observar as interações positivas, experimentar, assessorar trabalhos finais de bacharelado que tratem da solução de conflitos, estar presente e colaborar com outras atividades que a escola empreenda e ampliar seu raio de ação a tudo que se relacione com a promoção da boa convivência e do bem-estar.

Poucas escolas se atreveram a mediar além da violência direta, abrangendo a violência estrutural e a violência cultural, também presentes, porque, enquanto a gestão da primeira pode coexistir com o *statu quo*, as duas últimas mexem com a estrutura e transformam a cultura escolar.

Outro tema importante é a avaliação dos mediadores: aprendiz, iniciante, veterano e especialista ou assessor. Cada nível tem relação com as competências demonstradas, com as mediações realizadas e com a participação na formação e no monitoramento de novos mediadores ou em conversas sobre mediação. A avaliação do projeto, a prestação de contas e a comemoração dos êxitos alcançados fecham o curso.

OPÇÕES

A implementação da gestão positiva de conflitos e a mediação podem ser abordadas na medida que se queira. Assim, existem programas promovidos dentro da escola para responder à necessidade geral de melhorar a convivência e de munir os alunos de competências para a vida, enquanto em outras ocasiões a aposta na mediação é realizada por iniciativa de outros atores ou porque a administração escolar a inclui em seu plano de ação.

Ambas as vias se mostram válidas: a primeira ganha o impulso do corpo docente e a segunda conta com os recursos que acompanham os programas lançados pela direção.

Até agora, muitas escolas têm agido diante da necessidade premente de enfrentar os conflitos que as assolam sem recorrer a sanções, o que, na verdade, só os agrava, provocando um saldo negativo tanto para os alunos como para a instituição. Esse objetivo é legítimo porque se pretende reduzir o conflito e recuperar algum nível de bem-estar no sistema em que os problemas se originam, por meio da pacificação das relações interpessoais. No entanto, a mediação pode ser vista de modo muito mais amplo, ou seja, como uma estratégia proativa que prepara as novas gerações para viver e conviver num mundo plural, para que não fiquem impassíveis diante das injustiças e tenham recursos que lhes permitam materializar a paz em seu ambiente e no planeta. Como o novo milênio é pouco parecido com o anterior, os propósitos educacionais devem voltar-se para alcançar formas mais dignas, igualitárias e justas de habitar o mundo.

Porém, esclarecer com antecedência a perspectiva de justiça pela qual a mediação será promovida é algo muito mais complexo. Costuma-se dizer que ela atua paralelamente ao regime normativo e disciplinar da instituição e lhe dá apoio, uma vez que aquilo que se resolve voluntariamente pelo diálogo e pelo consenso não requer a intervenção externa de um adulto com autoridade no assunto.

O PROJETO DE MEDIAÇÃO E O PROJETO DA ESCOLA

Está bem claro que em nenhum caso a mediação vai no sentido contrário do sistema de justiça vigente na escola. Porém, é uma pena conter a mediação nesse ponto, porque se desperdiça sua essência real: encorajar a transição de uma concepção de justiça retributiva para a de justiça restaurativa – e daí para uma cultura de paz, caso em que toda a comunidade educacional inicia um autêntico processo de transformação. A justiça restaurativa muda as referências das relações, porque, entre vários outros motivos, devolve a dignidade às pessoas, dando-lhes a oportunidade de conduzir a própria vida reparando os danos em lugar de simplesmente se envergonharem e pagar por eles.

Logicamente, a mediação deve fazer parte do projeto pedagógico da escola. Entretanto, a princípio sua implantação pode ser diferente, pois talvez haja resistência à sua oficialização quando seus resultados ainda não foram sentidos. Em geral, a mediação deriva ou está diretamente ligada à orientação educacional da escola; outras vezes, apoia-se no grupo de coordenadores, no comitê de convivência da escola ou em outra instância. Sua inclusão no projeto pedagógico, por meio do plano de convivência, deixa clara a opção tomada diante dos conflitos e se torna um elemento atraente para os novos alunos e famílias que interpretam a mediação como uma característica positiva da escola.

Chama a atenção a associação equivocada da mediação com o grau de conflitos na escola que a aplica. Já ressaltamos que a mediação escolar tem uma clara intenção educativa, de modo que as escolas que desfrutam de boas relações não se isentam do dever de formar pessoas capazes de viver e conviver em paz em ambientes diversificados e de enfrentar desafios e frustrações construtivamente.

As escolas que consideram aceitável o seu grau de conflito costumam ser as que introduzem antes a mediação, uma vez que estão conscientes de que podem melhorar a convivência e porque os tipos de conflito que detectam não estão entre os de maior gravidade. Naturalmente, as escolas com um perfil de conflitos de médio a alto se agarram à mediação como mecanismo para atender a boa parte dos problemas diversos e complexos que surgem todo dia. Elas devem estar preparadas para associar mais de um programa de dedicação às necessidades dos alunos, que, com toda a probabilidade, apresentam carências de caráter diverso que merecem atenção específica, por vários ângulos de intervenção.

Também constatamos que a mediação se volta de início para os alunos de ensino médio, talvez porque estejam saindo da adolescência ou devido à sua maturidade para desenvolver habilidades positivas de gestão de conflitos, e aos poucos é aplicada a qualquer fase do ensino. Nesse sentido, valoriza-se a capacidade de mediação das crianças desde uma fase precoce, a fim de tornar cotidiana a gestão positiva de conflitos na educação.

OS RECURSOS

Os recursos de apoio ao programa de mediação devem ser esclarecidos desde o início. Na área da educação, não raro são empreendidas ações custosas com base apenas no entusiasmo e na dedicação dos que se comprometem com a melhora de algum aspecto da escola. Nesse caso, a colaboração entre os voluntários e a satisfação com os avanços e conquistas sustentam e retroalimentam o programa, embora aqueles que se sintam sobrecarregados pelo trabalho possam ficar "esgotados". Ao se obterem recursos financeiros para levar adiante o projeto, ao menos se garante que a escola se sinta apoiada e que os que realizam a mediação possam contar com recursos materiais para a aquisição de livros, equipamento da sala de mediação, material de formação, camisetas e bonés do projeto, impressão de folhetos, participação em encontros de mediadores, contratação de palestrantes e outras necessidades.

Os fundos podem ser obtidos pela participação em concursos, prêmios ou pela subvenção de entidades vizinhas, da Associação de Pais ou da própria escola, que garantem a implantação da mediação. Por outro lado, pode ser que, encerrada a dotação financeira, desapareça o compromisso com o programa e a mediação vá minguando. Uma terceira via, bastante difundida, é a compensação do esforço das pessoas mais envolvidas no programa com horas de trabalho, de modo que o compromisso seja assumido coletivamente. E, da parte da administração, providenciar treinadores às escolas interessadas.

FORMAÇÃO PARA A MEDIAÇÃO

Quanto à formação, devemos diferenciar dois tipos: programas dirigidos para a formação exclusiva daqueles que porão em prática a mediação *versus* programas que envolvem toda a comunidade educacional e vão além, incluindo a vizinhança. Obviamente, a equipe de mediação da escola deve ser bem capacitada para poder prestar um bom serviço. Todavia, se os outros membros da comunidade escolar desconhecerem os aspectos básicos da mediação, as probabilidades de sua limitação serão maiores.

Convém, portanto, diferenciar capacitação intensiva (equipe de mediação) de capacitação extensiva (corpo discente, corpo docente, famílias, interessados em geral). Entre as vantagens de preparar toda a comunidade para a mediação, deve-se ressaltar sua aplicação informal a uma infinidade de situações cotidianas em que as relações melhoram pela prática da escuta ativa, da empatia, da busca de consenso etc. Por sua vez, a equipe de mediação concentra-se mais em prover, prevenir, gerir e reconstruir as situações de conflito que possam ser detectadas.

Alguns advogam que os mediadores devem ser somente docentes ou somente alunos. Do nosso ponto de vista, essa restrição prejudica o rendimento futuro da mediação. Quando se deixa a mediação apenas nas mãos de professores, seu potencial educacional diminui consideravelmente; se ela é limitada a alunos, atrasa-se a transformação da escola como um todo, porque a mediação se torna quase um apêndice do sistema implantado.

Caso se decida capacitar pessoas de diferentes áreas da comunidade escolar para exercer a mediação, a iniciativa pode seguir duas direções: a) professores, famílias e alunos participam conjuntamente da mesma formação; b) se oferece um curso ou oficina específica para cada área separadamente.

Sem dúvida, o resultado é muito melhor quando se reúnem num mesmo curso as pessoas interessadas em prestar o serviço de mediação: aproveitando a ocasião, forma-se a comunidade, aceita-se implicitamente a necessidade de aprendizagem de todos, abrem-se as portas à gestão de conflitos entre jovens e adultos, coopera-se e se desfazem muitos estereótipos que nas escolas segregam as pessoas em setores e lhes atribuem papéis muito diferenciados. Por outro lado, por vezes há motivos que indiquem começar as etapas iniciais da formação de modo separado, aguardando para constituir a equipe mista mais adiante – por exemplo, motivos como problemas de horário, falta de experiência na participação ou nível de conhecimento, entre outros.

Caso se tome a decisão de formar os alunos, deve-se prever que lugar a mediação ocupará na educação. Existem diferenças entre o curso fazer parte do currículo como disciplina optativa ou como complemento de formação regulamentado e reconhecido ou figurar num espaço extracurricular. Essa decisão costuma estar muito ligada ao plano de estudos e à sua flexibilidade.

O reconhecimento de uma "disciplina" de mediação ganha sentido especial quando ela é ensinada com uma metodologia de aprendizagem e serviço que implica, portanto, uma ação contextualizada e possibilita que se conte sempre, pelas vias comuns da escola, com uma equipe de mediação atuante. Fora do currículo, a mediação desfruta uma margem muito mais ampla quanto a requisitos, horários, participantes etc., sendo a opção mais viável quando o programa pedagógico não permite que ela seja ensinada de modo regrado. Até o presente, os programas de mediação são em maioria extracurriculares, e sua sobrevivência depende da vontade de seus integrantes e dos mecanismos de apoio que a escola ou outras instâncias propiciam.

A mediação deve ser incluída no planejamento de todos os anos letivos, já que é imprescindível sensibilizar e motivar os alunos para que prefiram resolver suas disputas por essa via e já que se tem de informar sobre o procedimento para solicitar a mediação, escolher mediadores para renovar a equipe e, como vimos, utilizar de maneira generalizada alguns instrumentos de gestão positiva dos conflitos.

Nas escolas em que praticamente todos os alunos estão envolvidos na gestão da vida em comum (uns como ajudantes, outros como representantes, mediadores, bibliotecários, mentores virtuais etc.), procura-se sincronizar o horário da tutoria a fim de realizar reuniões periódicas entre os alunos de diferentes grupos que assumiram a mesma responsabilidade e os professores que coordenam os respectivos programas. Por fim, a modalidade de "infusão" filtra a cultura da gestão positiva dos conflitos por todos os poros da escola e compõe sua idiossincrasia, com a qual todos estão comprometidos o tempo inteiro com um modo pacífico de ser e estar na escola.

As pessoas que enfim participam da equipe de mediação são aquelas que se capacitaram para essa função. Como vimos, a escola pode escolher se quer que apenas uma área atue como mediadora ou convidar todas as áreas.

Existe uma terceira forma de incorporar a mediação à escola: recorrer a mediadores comunitários que trabalham no município, pertencem a uma ONG, dedicam-se à mediação profissionalmente etc. Essa solução é mais dinâmica e costuma ser utilizada para intervir na gestão de conflitos evidentes que exigem atenção rápida e especializada ou quando o problema ultrapassa os limites da escola.

Paralelamente à sua intervenção, a grande maioria dos mediadores externos em geral se oferece para dar palestras e ministrar oficinas por estarem convencidos de que, ao divulgar o conhecimento sobre a mediação, ampliam seu uso social.

VIAS PARA IMPLEMENTAR A MEDIAÇÃO ESCOLAR				
INICIATIVA	Da escola: corpo docente capacitado em mediação, diretoria, orientador etc.		De fora da escola: órgão de educação central, local, entidades de mediação etc.	
FINALIDADE	Gestão de conflitos e pacificação da escola		Formação para a convivência, não indiferença diante da injustiça, combatividade positiva e cultura de paz	
PERSPECTIVA	Complementar à disciplina		Enfoque restaurativo	
IMPLANTAÇÃO	Projeto educacional da escola	Departamento de orientação educacional	Outra	
GRAU DE CONFLITO	Baixo	Mediano	Alto	
CICLO	Infantil	Fundamental	Ensino médio, obrigatório	Todos os ciclos
RECURSOS	Nenhum	Econômicos	Humanos: tempo e formação	
FORMAÇÃO	Intensiva para o grupo selecionado		Extensiva para toda a comunidade	
CAPACITAÇÃO PARA MEDIAR	Dirigida apenas para um setor: corpo discente ou corpo docente	Dirigida para cada área da comunidade educacional separadamente	Dirigida conjuntamente a docentes, famílias, alunos e outras pessoas interessadas	
MODALIDADE (PARA ALUNOS)	Extracurricular	Curricular	Tutoria	Infusão
INTEGRANTES DA EQUIPE	Somente alunos ou professores	Qualquer pessoa da comunidade escolar	Um mediador interno	
USUÁRIOS	Apenas alunos		Qualquer pessoa da comunidade escolar	
APLICAÇÃO	Conflitos menores ou não regulamentados	Qualquer conflito que não seja muito grave	Qualquer conflito	
ÂMBITO	Escolar		Comunitário	
RECONHECIMENTO	Sem reconhecimento	Diploma de participação	Certificado oficial	
PRESTAÇÃO DE CONTAS	Não		Histórico de avaliação e prospecção	

QUEM SE BENEFICIA DA MEDIAÇÃO

Com relação àqueles que podem pedir para solucionar uma disputa por meio de mediação, não se deve perder de vista que os alunos representam a coletividade mais numerosa e agitada da escola, o que não significa, de modo algum, que só se pode mediar conflitos entre alunos. Os adultos têm mais dificuldade de recorrer à mediação, seja com alunos, seja com outros adultos, em geral por falta de familiaridade, temor de questionamento de seu papel diante dos demais e crença de que o conflito pode ser inteiramente atribuído à outra parte. Certos assuntos – por exemplo, confronto entre a direção de uma escola particular e um docente ou dificuldade de entendimento entre pai e mãe – podem não ser casos para mediação escolar, e sim trabalhista, familiar etc.

Recordemos que a mediação é também uma profissão. Ora, quando se pode atribuir a origem do conflito a uma disfunção nas relações interpessoais entre membros de qualquer área da comunidade escolar, a preparação dos mediadores escolares e seu trabalho de comediação deveria ser suficiente para restaurar o entendimento.

No debate sobre os tipos de conflito que poderiam ser mediados na escola, a aposta mais simples é intervir naqueles que, mesmo que causem grande desconforto nos envolvidos, não estão previstos no regulamento interno da instituição. Trata-se, então, de resolver inimizades, boatos, menosprezo, pequena falta de respeito, mal-entendidos, expectativas não cumpridas, ciúmes etc., que desgastam os professores e estragam o clima da sala de aula.

Outra alternativa, a mais difundida por enquanto, abre a mediação a todos os tipos de conflito, às vezes como primeira abordagem para compreender e reparar uma falta grave que talvez receba uma sanção da escola e, outras vezes, para resolver problemas do ponto de vista restaurativo, que busca mudanças positivas, compensações e melhorias. Em geral se estabelecem limites muito claros que excluem certos tipos de conflito: assédio entre colegas, crime, dano grave e questões marcadas por problemas psicológicos, para citar alguns exemplos.

Assim, quando os mediadores enfrentam uma das situações mencionadas ou qualquer outra que não consigam abordar, eles têm a prerrogativa de suspender a mediação e recorrer ao coordenador da equipe para avaliar o caso e tomar decisões a esse respeito (trocar mediadores, encerrar o processo, pedir ajuda a outras pessoas, abrir inquérito interno etc.).

Apesar do exposto, a mediação é um processo emergente que se aplica constantemente a novas circunstâncias e questiona, por exemplo, ser ou não apropriado diante de assédio moral, pois isso depende de múltiplos fatores: nível da agressão, abuso, duração, capacidade de empatia do agressor, assertividade de quem é vitimado, necessidade de preservar a dignidade e o anonimato, prevenção de publicidade negativa e busca de uma boa solução.

Em conflitos graves, quando o peso da sanção recai sobre a pessoa considerada culpada, o grande esquecido é a vítima. Esse é um dos grandes inconvenientes do enfoque retributivo: o pequeno consolo que, afinal, se concede à pessoa prejudicada. Também chama a atenção que determinados conflitos sejam considerados passíveis de mediação em uma escola enquanto em outra sejam classificados de impossíveis de mediar. Aqui, a gama de explicações abrange tanto a experiência da equipe de mediação quanto as diferenças atribuíveis ao contexto em que o conflito ocorre.

Embora a maioria das experiências se restrinja a uma única escola, também existem projetos de mediação que reúnem várias escolas e os que se vinculam ao bairro ou ao município onde se localiza a instituição. Nesse último caso, são essenciais as tarefas de coordenação e intercâmbio.

As atividades de prestígio recebem em geral algum reconhecimento. Por isso se costuma conceder um diploma àqueles que são aprovados na formação e praticam a mediação na escola. Contudo, trata-se de um documento de valor simbólico, pois é concedido pela própria escola ou pela entidade formadora. Com exceção da área docente, na qual a formação certificada pela administração tem pronto efeito para a obtenção de benefício por treinamento e antiguidade, os demais setores devem se conformar com um diploma comemorativo.

Outras particularidades de que não tratamos aqui seriam, por um lado, a certificação oficial dos alunos que fazem um curso de formação em mediação e técnicas de resolução de conflitos de grau superior; por outro, o título de pós-graduação obtido pelos adultos que, depois de diplomados ou licenciados, voltam à universidade para se formar em mediação escolar. Ultimamente, algumas escolas têm considerado a conveniência de adotar uma maneira para que os alunos que demonstrem competência no exercício da mediação possam fazê-la constar em seu currículo.

Enquanto algumas equipes de mediação dispensam a prestação de contas do trabalho que realizaram ao longo do ano, outras costumam fazer atas de suas reuniões e guardar anotações sobre os conflitos que mediaram, as quais, juntamente com uma avaliação final e as propostas para o curso seguinte, refletem o histórico da mediação na instituição, permitem analisar seus pontos fortes e fracos e refletir sobre a sua evolução.

10. Estratégias de mediação na educação infantil e nos ensinos fundamental e médio

QUANDO UMA INSTITUIÇÃO de ensino pensa em realizar uma mudança de funcionamento, metodologia ou organização para atender às suas necessidades, costuma se interessar pelas soluções que outras escolas já adotaram. Em geral, as práticas pioneiras ou inéditas são conhecidas como "boas práticas". Entretanto, as condições que possibilitam o sucesso de uma ação num contexto específico raramente ocorrem em outro contexto, motivo pelo qual, às vezes, o efeito das boas práticas mostra-se contraproducente: planta-se o desânimo ou, na melhor das hipóteses, promove-se a cópia do modelo.

Para nós, o que define uma escola dinâmica e inovadora é precisamente sua capacidade de aprender, desenvolver, debater e construir um discurso próprio. Sem dúvida é positivo incorporar como referência os elementos inspiradores derivados de práticas bem-sucedidas. Por isso, compilamos neste capítulo alguns exemplos que causaram impacto positivo no âmbito da mediação escolar.

Embora nos baseemos em experiências realizadas em escolas concretas, devemos reconhecer que as "boas práticas" são relativas e perecíveis, seja porque dependem demais de indivíduos que depois se mudam para outro local, seja porque se esgotaram os recursos com que contavam, talvez devido a novas exigências da administração ou a novas necessidades do bairro. Além disso, uma boa prática é algo vivo e em construção permanente, e por isso muda e evolui incessantemente ao ritmo vertiginoso da sociedade.

Seja como for, as práticas pioneiras são um reflexo da realidade, um germe que inspira os outros a deixar uma semente que se fixa por imitação, ou mesmo por inércia, e estimula grandes avanços na educação. Hoje, ninguém mais discute a eficácia da mediação, e os instrumentos para a gestão positiva de conflitos estão presentes em muitas escolas, mesmo que estas não disponham de um programa bem montado.

Em resumo, o que se pretende aqui é apontar *elementos de excelência* (inovadores e eficazes) na *prática da mediação escolar*, mostrando um leque variado de opções, destacando critérios de atuação para a obtenção de bons resultados e proporcionando pautas de ação com o objetivo de incrementar a qualidade da mediação na escola e sua constante transformação. Sem a intenção de esgotar o assunto, são apresentados a seguir alguns indicadores com impacto positivo nos programas de mediação escolar.

Em primeiro lugar, o *compromisso da comunidade escolar* com a mediação é determinante para o seu sucesso: a *motivação* no momento de implementar o programa, o *apoio* obtido, a *presença* que ela tem na escola, o *reconhecimento recebido e a cultura* que a mantêm são elementos cruciais.

INDICADORES DE QUALIDADE	NÍVEL			
	BAIXO	CORRETO	ALTO	EXCELENTE
COMPROMISSO DA COMUNIDADE ESCOLAR				
1. MOTIVAÇÃO • O programa de mediação resulta do desejo de melhorar a convivência na escola. • Ele é realizado para trabalhar as competências relacionadas com conduta humana e convivência com os outros. • Ele responde a uma mudança de paradigma de justiça retributiva para justiça restaurativa. • Trata-se de uma aspiração da administração escolar.				

▶

▶ 2.	**APOIO** • A diretoria da escola viabiliza o programa de mediação. • As famílias aprovam a incorporação da mediação à escola. • O programa de mediação é prestigiado pelos alunos. • A escola fornece recursos ao programa de mediação. • Existe um número suficiente de pessoas que desejam participar da equipe de mediação. • Os mediadores têm certos privilégios. • Professoras e professores levam os conflitos à mediação. • O órgão oficial de educação oferece formação e outros recursos às escolas que dispõem de programa de mediação. • A escola conta com entidades de mediação da vizinhança que contribuem com o bom funcionamento do programa.
3.	**PRESENÇA** • Todos sabem da existência da mediação escolar. • O planejamento atual da escola leva em consideração as atividades da equipe de mediação. • A mediação é divulgada pelos canais de comunicação da escola. • O planejamento pedagógico conta com uma sessão sobre gestão positiva de conflitos. • Mediadores e mediadoras participam de diversas atividades da escola. • A equipe de mediação está vinculada a outras práticas de mediação no entorno. • Comemora-se o Dia da Mediação (21 de janeiro) ou o Dia Escolar da Não Violência e da Paz (30 de janeiro)[1].
4.	**RECONHECIMENTO** • O projeto educacional da escola incorpora oficialmente o programa de mediação. • Mediadoras e mediadores recebem diploma ao terminar o curso. • Eles também recebem um certificado oficial (formação complementar). • Os resultados do trabalho da equipe de mediação são divulgados para a comunidade escolar. • Existe alguma compensação para o trabalho dos mediadores. • A pessoa que coordena o programa de mediação dispõe de tempo e recursos. • O órgão oficial de educação valoriza a existência da mediação nas escolas. • É concedida uma comenda de escola mediadora àquelas que se destacam nessa prática.

---

1. No Brasil, Dia do Mediador (23 de setembro), Dia Internacional da Paz (21 de setembro) e Dia Internacional da Não Violência (2 de outubro) [N. T.].

5.	**CULTURA** • Existe empenho para que as relações entre os membros da comunidade escolar sejam positivas. • O diálogo e a mediação são considerados o meio mais adequado para a gestão de conflitos. • Existem oportunidades para reparar os danos causados e promove-se a reconciliação. • Qualquer tipo de violência é desqualificado e refutado. • Luta-se contra a indiferença diante de injustiças dentro e fora da escola. • A escola está disposta a se transformar e evoluir por uma convivência mais justa e pacífica.			

Em segundo lugar, outra dimensão que influi diretamente na excelência de qualquer projeto de mediação é, sem dúvida, a *qualidade* da formação dada às pessoas que exercerão a função de mediador na escola. Alguns elementos devem ser considerados: a *participação* no curso ou na oficina, o *desenrolar das sessões de formação*, o *grau de aproveitamento* e de capacitação dos assistentes para mediar com eficiência e a *avaliação* da formação em geral.

		NÍVEL			
INDICADORES DE QUALIDADE		BAIXO	CORRETO	ALTO	EXCELENTE
CAPACITAÇÃO EM MEDIAÇÃO					
6.	**PARTICIPAÇÃO** • Os futuros mediadores e mediadoras se formam por vontade própria. • Eles comparecem assiduamente ao curso ou à oficina e se engajam. • As relações entre os futuros mediadores e mediadoras (docentes, famílias, alunos, entre outros) são horizontais.				
7.	**DESENVOLVIMENTO** • Objetivos, conteúdo, metodologia e avaliação do curso são divulgados no início. • As sessões são realizadas com pontualidade e em bom clima de trabalho. • A pessoa responsável pela formação dialoga com os formandos. • O material utilizado no curso ou na oficina é útil. • O local onde se ministra o curso é adequado e conta com os recursos necessários. • O horário do curso é conveniente.				

8.	**APROVEITAMENTO** • Ao encerrar o curso, os formandos estão capacitados para conduzir um processo de mediação. • São realizadas provas para avaliar as competências adquiridas pelos mediadores.			
9.	**AVALIAÇÃO** • O número de sessões realizadas é suficiente. • O curso responde às expectativas e aos objetivos iniciais. • As competências adquiridas são consideradas importantes para a própria vida.			

Obviamente, em terceiro lugar, o segredo do sucesso da mediação é sua *incidência na escola*. Por isso devem ser contemplados aqueles aspectos que podem levar ao bom funcionamento do serviço de mediação, entre os quais se destacam a *composição da equipe*, o *compromisso* dos futuros mediadores e mediadoras, a *organização* geral, as tarefas de *coordenação*, a correta *atuação* dos mediadores, os *resultados* alcançados, a *manutenção da equipe* e sua *expansão* para outros locais de convivência.

Não se deve esquecer que o processo de mediação é muito versátil, de modo que está em permanente evolução, permitindo enfoques muito originais e dando lugar a práticas novas. O mais importante é que seu âmbito de ação esteja claro: a boa convivência, o desenvolvimento das competências para a vida, a gestão positiva dos conflitos e a promoção da paz.

		NÍVEL			
INDICADORES DE QUALIDADE		BAIXO	CORRETO	ALTO	EXCELENTE
FUNCIONAMENTO DO SERVIÇO DE MEDIAÇÃO					
10.	**COMPOSIÇÃO** • Todos as áreas da comunidade escolar estão representadas na equipe de mediação. • As características das pessoas que integram a equipe de mediação são representativas da escola como um todo. • O número de membros da equipe é adequado para gerir os conflitos.				

11.	**COMPROMISSO** • Mediadores e mediadoras estão disponíveis quando necessário. • Eles se envolvem na gestão dos conflitos. • Eles divulgam a existência do serviço de mediação. • Eles mantêm o sigilo. • Eles realizam a promoção e o apoio à boa convivência.		
12.	**ORGANIZAÇÃO** • A sala de mediação é satisfatória. • Todos sabem solicitar uma mediação. • É simples obter uma mediação. • O funcionamento do serviço de mediação é eficiente. • Os tipos de conflito que podem ou não ser mediados estão claros para mediadores e mediadoras.		
13.	**COORDENAÇÃO** • A coordenação da equipe de mediação cabe a uma pessoa preparada e disposta. • A pessoa ou as pessoas que coordenam a equipe envolvem-se com o programa e o comandam. • Elas realizam uma boa gestão. • Elas dispõem de tempo para realizar o trabalho. • A coordenação da equipe de mediação é reconhecida oficialmente e recebe algum tipo de compensação. • A pessoa ou as pessoas que coordenam a equipe são avaliadas pelos mediadores e pela escola. • Elas preparam seu substituto antes de deixar o trabalho.		
14.	**ATUAÇÃO** • As mediações solicitadas são atendidas com rapidez. • Mediadores e mediadoras seguem todos os passos do processo. • As duplas de mediadores trabalham coordenadamente. • Mediadores e mediadoras demonstram habilidade para a gestão positiva dos conflitos. • As pessoas confiam no serviço de mediação.		
15.	**RESULTADOS** • O número de conflitos mediados supera os que são abordados aplicando sanções. • As pessoas que recorrem à mediação avaliam os mediadores e o serviço de mediação. • Nota-se uma melhora no clima de convivência da escola. • Os membros da equipe de mediação ficam satisfeitos com seu trabalho. • Percebem-se efeitos positivos da mediação nos docentes, nas famílias e nos alunos.		

| | 16. | MANUTENÇÃO
• Mediadores e mediadoras participam das sessões de manutenção e formação contínua.
• Existem mecanismos para a renovação de mediadores e a formação de novos candidatos.
• São organizadas conferências e outras atividades sobre mediação e cultura de paz.
• São organizadas oficinas temáticas, interações, visitas etc. para unir e preparar a equipe de mediação. | | | |
|---|---|---|---|---|---|
| | 17. | EXPANSÃO
• A liderança e a criatividade dos alunos recebem incentivo, fornecendo meios para que possam realizar com autonomia suficiente suas propostas de convivência.
• Difunde-se a cultura da mediação e da paz na escola com ações complementares à gestão positiva de conflitos.
• A organização escolar é revista para eliminar elementos que geram violência direta, estrutural e cultural.
• Professores, famílias e alunos são formados em técnicas de mediação para uso informal.
• Criam-se salas de aula pacífica (ou de convivência) com recursos para o desenvolvimento das habilidades socioemocionais acompanhadas por membros especialistas da equipe de mediação.
• Fazem-se alianças (parcerias) com instâncias de mediação públicas ou privadas da vizinhança. | | | |

Como é de supor, a mediação escolar tem particularidades em cada nível de ensino, do inicial ao superior. A seguir, reunimos as práticas e os instrumentos mais difundidos e fáceis de reproduzir e manter na maioria das escolas com o passar do tempo, relativos à educação infantil, ao ensino fundamental e ao ensino médio.

PRÁTICAS NA EDUCAÇÃO INFANTIL

Quanto antes se introduzir a cultura da mediação, melhor. Na educação infantil, as experiências mais bem-sucedidas concentram-se no desenvolvimento progressivo das competências de relacionamento das crianças. Assim, trabalha-se proativa e preventivamente para que, quando surgir um conflito, os alunos tenham os instrumentos e uma atitude pertinente para enfrentá-lo. Desse modo, evita-se "educar vítimas", ou seja, pessoas que diante de um desafio mostram frustração, raiva e impotência para conseguir que alguém o solucione.

As escolas mediadoras ocupam-se do pleno desenvolvimento de cada criança levando em conta a autoestima, a gestão das frustrações, a comunicação, a empatia etc. Porém, além de formar o indivíduo, educam o grupo para que saiba acolher, incluir, colaborar e trabalhar pelo bem-estar e pelo crescimento comum. A inteligência intrapessoal e a inteligência interpessoal são fundamentais porque sustentam qualquer outra aprendizagem, dão força para perseverar, ajudam a conhecer o próprio modo de aprender e permitem traçar projetos de vida pessoais voltados para a felicidade.

Complementando esse substrato imprescindível, que se obtém pela aplicação de programas específicos de maneira sistemática, existem numerosas práticas centradas na gestão positiva dos conflitos e na melhora da convivência na infância. Vejamos algumas a seguir.

RODA

Na roda são tratados muitos temas importantes para a vida do grupo; é um momento de reunião em que se percebe que cada pessoa faz parte de uma mesma coletividade. Nesse espaço de acolhimento e cordialidade também se expõem os confrontos e os problemas interpessoais, e todos pensam em soluções para que os implicados possam superá-los.

UBUNTU

Na hora de falar, pega-se um *ubuntu* (objeto simbólico), o qual indica que essa criança quer dizer algo importante a outra diante dos demais. Depois da falar, entrega o *ubuntu* a seu colega para que este lhe responda. Essa cerimônia reveste de importância a conversa, que não é um papo qualquer, mas sim uma atitude intencional de conciliação. Pegar o *ubuntu* significa que se quer solucionar o problema amistosamente.

FANTOCHES

Os fantoches e as marionetes sempre estão por perto na sala de aula das crianças pequenas. Aproveitando sua magia e o vínculo que criam imediatamente com elas, são representadas histórias curtas que expõem conflitos imaginários ou reais e pede-se ao grupo que proponha soluções para o caso. Essas soluções são interpretadas para que se veja aonde cada proposta conduz e facilitar a compreensão e a escolha daquela que seja melhor para todo mundo.

PORTA DA PAZ

Pode ser uma porta, uma tenda, um tapete, um canto... um lugar onde qualquer criança possa afastar-se um momento do grupo, sempre por vontade própria, para pensar e se acalmar. Mas também se pode ir à porta da paz na companhia da pessoa com quem se tem um conflito. Na porta da paz se fazem as pazes, de modo que, por meio do diálogo e de pedidos de mudança, chegue-se à solução sem a presença ou a intervenção direta de um adulto.

BOCA-ORELHA

A cadeira com uma boca desenhada e a cadeira com uma orelha ficam na sala de aula para que aqueles que têm problemas possam sentar-se nelas para resolvê-los. Enquanto a pessoa que ocupa a cadeira-boca conta o que a preocupa, quem se senta na cadeira-orelha só a escuta com atenção. Os postos se alternam tantas vezes quantas necessárias, até que se dê por solucionada a questão. Em geral, quando se resolve o problema, meninas e meninos o demonstram trocando abraços.

PRÁTICAS NO ENSINO FUNDAMENTAL

A divisão da escolaridade em etapas educacionais delimitadas, que tradicionalmente se justificam pelo grau de desenvolvimento dos alunos, está em revisão hoje em dia. Portanto, o trabalho realizado na educação infantil e as propostas realizadas no ensino fundamental não precisam supor uma ruptura – as boas práticas podem ser retomadas e transformadas. Sem dúvida, qualquer estratégia funciona melhor quando adotada de comum acordo por toda escola. Todavia, muitas das práticas que comentaremos começaram numa classe e, comprovada sua eficiência, foram disseminadas pela escola inteira.

Agora, convém intensificar a autonomia das crianças e o senso de integração ao grupo. Por isso, a elaboração participativa das normas da classe, as assembleias, a mediação propriamente dita, os programas de educação para a paz, os grupos cooperativos e as metodologias de aprendizagem inclusivas, entre outras opções, servem para trabalhar o trinômio eu, nós e a humanidade.

Assim, a mediação não é um elemento isolado, mas faz parte da formação integral dos alunos, das competências comportamentais prescritas no currículo. E, quando as metodologias de aprendizagem entre pares estão mais disseminadas, o papel do aluno mediador se mostra mais necessário.

BANCOS DA AMIZADE

O banco da amizade é integrado por meninas e meninos que oferecem parte de seu tempo na escola para "ser amigos" de quem pede. Podem recorrer a ele as crianças que se sentem isoladas, inseguras, entediadas, ameaçadas; por vezes um docente, para incluir determinada pessoa no grupo ou para desarmar um possível caso de intimidação, monta um "círculo de amigos" que a envolva nos diferentes momentos e atividades do dia.

Aqueles que fazem parte do banco devem receber formação para compreender o alcance da sua tarefa e desenvolver os recursos de empatia, assertividade, escuta ativa, pensamento positivo, gestão de conflitos etc. Assim, algumas pessoas da equipe de mediação (ou formadas em mediação) podem exercer esse papel.

PADRINHOS E MADRINHAS

A ajuda entre iguais, ou apadrinhamento, pode se concentrar na atividade escolar ou nas relações sociais. Consiste em formar duplas de crianças menores com outras três ou quatro anos mais velhas, para que desenvolvam juntas um programa de atividades de leitura, oficinas interdisciplinares e projetos. A ajuda também pode consistir em atividades de acompanhamento social, como conversas informais, jogos, esclarecimento sobre determinados temas ou questões, escuta de inquietudes, gestão de conflitos, orientação sobre atitudes e valores, entre outras. A relação entre madrinha ou padrinho e afilhado dura pelo menos um ano e as atividades se desenvolvem durante o período letivo, de modo sequenciado e planejado. É importante que não somente os maiores atendam aos menores, mas também que estes trabalhem com seus padrinhos e madrinhas e os compensem, estabelecendo uma relação de reciprocidade e troca. No fundo, essa estratégia pretende evitar conflitos de qualquer tipo e tornar a escola um espaço de boa convivência.

GRUPOS DE COOPERAÇÃO

A aprendizagem entre colegas finalmente se generalizou. Uma das características dos grupos de cooperação é a divisão de papéis para garantir o rendimento da turma, a contribuição de cada pessoa e a organização do trabalho. Portanto, um dos papéis que podem ser atribuídos é o de gestão positiva dos conflitos surgidos no decorrer do projeto que o grupo realiza.

ASSEMBLEIA DE CLASSE

A assembleia de classe é crucial no ensino fundamental para a vivência coletiva e a coesão do grupo, o planejamento da aprendizagem, o debate, a participação e a representação infantil nos assuntos da escola etc. A gestão positiva de conflitos na assembleia é outra das tarefas que se realizam com sucesso. Não se deveria tratar tanto de assuntos particulares quanto de questões que atingem o grupo em geral e exigem que se pense como prevenir esses conflitos, talvez implantando normas ou ainda organizando-se melhor, mudando de atitude, buscando alternativas etc., de modo que as competências de mediação voltem a ser utilizadas aí.

MEDIAÇÃO NA SALA DE AULA

O que importa no ensino fundamental é, como vimos, a formação integral das pessoas e seu bem-estar físico, mental, psicológico, emocional, social e espiritual. O desenvolvimento da interdependência positiva, isto é, de vínculos sociais seguros e saudáveis, é um fator essencial que influencia todos os aspectos da vida e da aprendizagem, e por isso faz sentido que os programas de mediação sejam trabalhados com toda a classe e que todos possam exercer a mediação na sala em rodízio. As competências com que a mediação trabalha são transversais, mas nem por isso se diluem, como tantas vezes ocorre com essa temática. No início, cada estratégia é praticada separadamente, sendo aplicada ao cotidiano e favorecendo sua transferência para fora da escola, sobretudo para a família e os locais de lazer.

Quando chega perto do fim o programa de formação, que é executado de modo sistemático em cada ano letivo, aproveita-se a dinâmica dos encarregados ou responsáveis pelas diversas tarefas (biblioteca, projetos, material, assistência...) para escolher uma dupla de mediadores à qual são levados os conflitos durante o período correspondente. O local de mediação costuma ser a sala de aula ou perto dela, porque o processo não deve interferir no funcionamento da aula e os casos podem ser mediados no intervalo, ao meio-dia (quando existir refeitório na escola) ou nos momentos de trabalho autônomo.

Deve-se destacar que os mediadores contam com uma ficha para lhes lembrar com clareza os passos a seguir e com um caderno em que fazem anotações a respeito do conflito gerido, dos seus participantes, dos acordos obtidos e de sua posterior revisão.

MEDIAÇÃO NO RECREIO

A frequência de uso dos espaços de lazer nos pátios de ensino fundamental provoca o aparecimento de uma infinidade de pequenos conflitos, trombadas casuais, disputas e brigas que não costumam ter raízes muito profundas, pois são fruto do momento, e seus protagonistas, quando pertencem a turmas ou níveis distintos, nem sequer têm relação constante. Assim, a presença de uma dupla ou mais de mediadores no pátio facilita demais a boa dinâmica das brincadeiras e do descanso.

Nesse caso, os mediadores costumam ser meninos e meninas dos últimos anos, que atuam em dupla um dia por semana – ou seja, com dez mediadores e talvez alguns substitutos há mais do que o suficiente. Em algumas escolas, o tempo de descanso da hora do almoço também se mostra problemático, e por isso é um momento em que se pode oferecer a mediação.

FORMAÇÃO DO PROFESSORADO E DAS FAMÍLIAS

Façam parte ou não da equipe de mediação, docentes e famílias devem compartilhar os princípios da gestão positiva do conflito com os alunos. Isso significa que os adultos da escola precisam estar a par do programa de mediação, e melhor ainda se criaram instrumentos para usá-los informalmente quando se veem diante de um problema. Uma maneira de informá-los e capacitá-los são as palestras de especialistas ou as oficinas de formação. Algumas escolas formam professores no primeiro ano, alunos no segundo, famílias no terceiro, e assim a penetração e a sobrevivência do programa são asseguradas.

CONTADOR DA PAZ

Enquanto os conflitos são bem perceptíveis e causam grande alvoroço na escola e fora dela, os momentos de convivência pacífica passam praticamente despercebidos. O desafio, agora, consiste em visibilizar momentos e dias de paz. Pode-se começar pela criação de um banco de experiências, ao qual cada pessoa da escola conte sobre seu "melhor momento" na escola para que a seguir os contadores da paz classifiquem as histórias conforme o conteúdo: amizade, aprendizagem, ajuda, superação, cumplicidade, empatia, harmonia, resiliência, escuta... Esse termômetro da paz enaltece elementos positivos para o bem-estar humano que, apesar de sua incrível importância, em geral acabam esquecidos.

Contudo, existem muitas outras situações pacíficas que podem ser contadas: conflitos com final feliz, um agradecimento, uma pessoa que é admirada, ações solidárias e diversos temas que mês a mês acompanham a escola. Algumas histórias podem ser divulgadas pela internet ou no blogue da escola; podem ser organizadas bibliotecas humanas, em que o "livro" escolhido é a pessoa que conta oralmente sua história tal como a viveu e sentiu; ou, ainda, editar revistas ou livros para distribuí-los à comunidade escolar.

AULAS PACÍFICAS

A mediação é indissociável da cultura de paz, mas apenas uma de suas peças. A participação democrática, a transformação social, a solução positiva de conflitos e o fortalecimento de todas as pessoas são as grandes engrenagens da máquina da cultura de paz. As aulas pacíficas não se restringem à eliminação da violência direta e ao cultivo da boa convivência em classe, mas vão muito além: lutam contra as injustiças por meio do convencimento de que outro mundo muito melhor é possível. Nesse caso, o espírito crítico, a não violência ativa e a combatividade positiva são os recursos que permitem materializar o compromisso com as demais pessoas, sobretudo as mais vulneráveis.

PRÁTICAS NO ENSINO MÉDIO

A grande maioria de boas práticas comentadas até aqui pode estar presente também no ensino médio, e por isso não as repetiremos. Os programas de mediação atingem nesse ciclo seu pleno desenvolvimento, tanto pela necessidade de gerir conflitos de adolescentes e jovens – bem mais complexos que os dos níveis anteriores – quanto pelo amadurecimento dos alunos, que compreendem bem o alcance do processo e sentem a necessidade de dispor de instrumentos para resolver por si mesmos os problemas que vivem dentro e fora da escola.

Seguir adiante sem depender do adulto é uma das incumbências de todos os adolescentes, e sua passagem pelo programa de mediação contribui indiscutivelmente para isso.

OBSERVADORES DA CONVIVÊNCIA

Alguns alunos podem atuar como observadores da convivência, ajudando os colegas quando se sentem mal, precisam ser ouvidos, alguém mexe com eles, têm problemas pessoais, estão desmotivados, demoram a se adaptar à escola, sentem falta de um amigo, não sabem como se defender de provocações, acham que ninguém os compreende, isolam-se, faltam às aulas com frequência, entre outras situações que geram mal-estar e são o germe de conflitos maiores.

A observação da convivência é um instrumento preventivo que complementa perfeitamente o trabalho da equipe de mediação, pois identifica problemas que necessitam atenção.

SERVIÇO DE MEDIAÇÃO

A equipe de mediação cuida da gestão da maioria dos conflitos entre alunos e também pode atender a conflitos entre outras pessoas da escola. Um grupo de 10 a 20 pessoas poderia ser ideal tanto do ponto de vista da organização como para lidar com os problemas que surgem. Em geral, mediadores e mediadoras trabalham em dupla e se ocupam tanto dos conflitos não previstos no conjunto de normas da escola como dos previstos. No segundo caso, a mediação atenua a ação da escola e pode suspender uma apuração disciplinar quando a solução encontrada e efetivada satisfaz todas as pessoas implicadas e também a instituição. Além de gerir conflitos evidentes, o serviço de mediação pode promover a boa convivência, prevenir a violência e a reparação, a reconciliação e a reconstrução depois de um conflito grave.

MEDIAÇÃO COMUNITÁRIA

Cada vez mais municípios dispõem de mediadores a serviço da cidadania. Algumas organizações sem fins lucrativos também se dedicam profissionalmente à mediação e existem mediadores particulares que colaboram com as instituições de ensino. Os mediadores escolares podem, então, estabelecer parcerias com essas instâncias para alentar sua prática dentro e fora da escola, completar sua formação ou participar de mutirões de mediação comunitária, nos quais os mediadores compartilham suas experiências.

Ainda que menos frequente, talvez a mediação escolar se volte para fora e delegue alguns conflitos da escola a mediadores externos.

TEATRO-FORO

A representação e reprodução de situações cotidianas e verossímeis estimula a reflexão sobre os conflitos, mesmo que sejam muito dolorosos e pareça que não podem ser enfrentados. O teatro social, comunitário, do oprimido, ou foro põe as técnicas teatrais ao alcance da escola para que os conflitos existentes possam ser explorados, debatidos e resolvidos. A interação entre atores e público, por meio de uma série de jogos teatrais em que os espectadores se tornam protagonistas, modifica o curso da representação e da vida, porque por meio da encenação se expressam sentimentos e anseios, denunciam-se injustiças e promovem-se mudanças reais.

Quando termina a apresentação, abre-se um foro de debate e discussão para explorar coletivamente mais a fundo as vivências experimentadas. O potencial educativo do teatro-foro e sua utilidade para enfrentar os conflitos são, portanto, inegáveis.

CORRESOLUÇÃO

A solução de conflitos por meio de metodologias de solução conjunta – ou democracia profunda – desenvolvidas por Myrna Lewis na África do Sul servem para debater e buscar respostas a conflitos coletivos. Primeiro, com todos em pé, forma-se um círculo e, a seguir, quem tem algo para dizer dá um passo à frente enquanto o facilitador fica a seu lado repetindo a ideia, para que as pessoas que pensem do mesmo modo possam juntar-se. Ato contínuo, outra pessoa expõe sua ideia, o facilitador junta-se a ela e parafraseia o exposto, e novamente os que se identificam com a ideia movem-se para lá. Esse ritual se repete tantas vezes quantas necessárias até que se tenha dito praticamente tudo. Então, o facilitador resume com a maior precisão possível o parecer do grupo e pede uma votação de mão erguida para determinar o grau de acordo alcançado. Normalmente, a grande maioria levanta a mão e o facilitador diz aos que não o fazem que lamenta que tenham perdido a votação. A seguir, pergunta aos minoritários de que precisariam para unir-se ao grupo maior e pede aos restantes que escutem com atenção a sabedoria da minoria. Para finalizar, o facilitador repete o acordo reunindo as nuances acrescentadas no final e repete-se a votação, que então refletirá o consenso alcançado pelo grupo.

METODOLOGIAS DE APRECIAÇÃO

Seu objetivo é fazer emergir a inteligência coletiva do reconhecimento da força e das aptidões dos integrantes do grupo, sua criatividade e sua visão de futuro. Não só se imaginam opções factíveis, mas também se traçam planos de ação, buscam-se aliados e recursos e materializam-se as propostas.

Uma dessas metodologias, denominada *world cafe*, consiste numa rodada de conversas curtas em grupos de três a cinco pessoas, que dialogam de 15 a 20 minutos sobre um tema de interesse comum para resolver algumas questões que orientam o diálogo. Depois de vários turnos, durante os quais os participantes trocam de mesa e de colegas, "colhem-se" os resultados por meio de métodos diversos, geralmente gráficos, compartilhando-os.

PRÁTICAS RESTAURATIVAS

Os círculos restaurativos e as conferências ou encontros restaurativos, além dos das pessoas em disputa, reúnem outros membros da comunidade que também se sentem atingidos pelo conflito. A pessoa que intermedeia o encontro formula uma série de perguntas bem planejadas, que buscam os fatos, os motivos, os sentimentos, as expectativas e as opções de reparação. Sua força reside em que os circundantes troquem ideias e mudem para que a situação se resolva bem, uma vez que apenas a vontade de melhora dos protagonistas do conflito pode não ser suficiente quando o contexto do qual ele se originou é o mesmo ou quem infringiu a ordem reinante e causou a ofensa já não é aceito. Existem diferentes tipos de círculos restaurativos: de debate, compreensão, apoio, coesão grupal, solução de conflitos, reintegração, celebração, recuperação etc. O foco restaurativo visa ao futuro, não estigmatiza, mas busca a reparação e a reintegração de cada pessoa em sua comunidade.

ENCONTROS DE MEDIAÇÃO

Os centros de mediação de uma mesma região costumam realizar jornadas de mediação com a participação dos membros da equipe, sejam professores, famílias ou alunos. Muitas vezes essas jornadas recebem apoio do município e contam com a presença de representantes da área da educação (inspetores, conselheiros, mediadores comunitários). Meninos e meninas reservam esse dia para assistir à apresentação de algum especialista e realizam oficinas preparadas por eles mesmos para outras escolas. Professores e famílias também participam das atividades de aprimoramento ou de debates.

Depois do almoço, em geral há um intercâmbio de experiências, representação de mediações, sessões audiovisuais. Para finalizar, são entregues diplomas aos novos mediadores ou é reconhecido o trabalho de pessoas que se destacaram no envolvimento com a mediação em sua escola.

MEDIAÇÃO *ONLINE*

A rápida evolução das tecnologias e a facilidade com que ocupam qualquer espaço deixam prever que dentro de pouco tempo chegarão à escola os aplicativos de mediação *online* que existem em outras áreas. Embora a característica da mediação seja o encontro pessoal, a familiaridade com o correio eletrônico e a rapidez de acesso a ele, as videoconferências, os jogos de simulação e o assistente virtual – neste caso, um mediador virtual – podem ocupar um espaço na detecção e gestão de conflitos.

SALAS DE CONVIVÊNCIA

Algumas escolas contam com salas de aula voltadas para o restabelecimento da convivência harmônica. Porém, enquanto em certos casos elas mais se parecem com uma sala de custódia onde um professor contém alunos e alunas expulsos da classe, em outros foram concebidas para que essa instância seja proveitosa. Eles contam com locais para relaxar, recursos para ajudar a pensar sobre o ocorrido e atividades educativas para melhorar o autocontrole, a assertividade, a empatia, o pensamento alternativo, a reparação etc. A presença de pessoas capacitadas em mediação na sala de convivência é muito recomendável. Ao mesmo tempo, a equipe de mediação pode projetar materiais para esse espaço.

11. A incorporação da mediação ao plano de convivência

PARA REGRAR A CONVIVÊNCIA, todas as escolas dispõem de um regulamento interno que descreve as condutas consideradas pouco ou não aceitáveis e apresenta medidas e procedimentos a esse respeito. Às vezes, esse regulamento é seguido da maneira como a direção da escola indica, ignorando-se a oportunidade de abrir um debate que ajude a refletir em profundidade sobre o clima de relacionamento que seria desejável na escola.

Outras vezes, ele é usado como recurso meramente ratificador, executado com total rigidez, na crença de que assim se age de maneira igualitária e justa. Também acontece de as escolas decidirem não aplicar as normas estabelecidas, instaurando um clima de indiferença, negligência e impunidade.

Seja como for, qualquer equipe docente e qualquer professora ou professor individualmente acabam dedicando muitas horas à preservação da convivência. No entanto, esse tempo, que se investe à força quando a situação se mostra insustentável, pode ser investido de modo bem diferente.

Também do lado dos alunos é necessário estar num ambiente de confiança em que possam se esforçar para aprender, relacionar-se e amadurecer. Já as famílias desejam ver a responsabilidade e o aproveitamento de seus filhos na escola.

Assim, não se entenderia um plano de convivência que não previsse mecanismos amistosos de gestão de conflitos. Nesse sentido, a mediação deve ser regulamentada, ainda que sujeita a revisão, a fim de manter seu característico dinamismo.

PASSOS

A seguir, indicamos em síntese um *possível mapa de trajeto* com os *passos para que a mediação escolar esteja presente formalmente na escola*, e damos exemplos. Obviamente, trata-se de uma aproximação generalizada que cada escola terá de concretizar com dados reais e características próprias.

1. TER EMPATIA PELO SENTIMENTO GERAL DA ESCOLA SOBRE O CLIMA E AS NECESSIDADES DE MELHORA DA CONVIVÊNCIA

Exemplo: nossa escola promove a boa convivência e o bem-estar de todas as pessoas da comunidade escolar; respeitamos a pluralidade, trabalhamos pela inclusão e consideramos que os conflitos que fazem parte do dia a dia podem ser solucionados com o diálogo. Também concordamos com os valores da cultura de paz e formamos as pessoas com integridade, dotando-as de competências para a vida. Todos têm o direito de se sentir bem na escola e a responsabilidade de contribuir para o bem-estar comum.

2. JUSTIFICAR OS MOTIVOS QUE MOTIVAM A APOSTA NO PROGRAMA DE MEDIAÇÃO ESCOLAR

Exemplo: a opinião colhida entre alunos, famílias e o corpo docente (em sessões de debate, por questionários, consultas, grupos focais etc.) e os dados sobre conflitos nos últimos anos indicam a margem de melhora do clima de convivência. Entendemos que os protagonistas de uma atitude inadequada devem ser responsabilizados pela reparação dos danos causados e restabelecer a harmonia nas relações interpessoais.

Algumas experiências de escolas da nossa região que já dispõem de uma equipe de mediação escolar mostram seus benefícios na prática. Assim, optamos pela mediação de conflitos, porque une a comunidade escolar e dá a seus integrantes instrumentos para que possam resolver as disputas de maneira responsável, autônoma e efetiva.

Por outro lado, aplicaremos as sanções previstas quando não se chegar a um acordo satisfatório ou em situações específicas que não sejam consideradas passíveis de mediação.

3. MENCIONAR OS ANTECEDENTES DE CONVIVÊNCIA

Exemplo: a comissão de convivência é a que tradicionalmente se encarrega de zelar pelas relações positivas na escola e já há algum tempo tem apontado a necessidade de atuar preventivamente, envolver mais os protagonistas na solução de seus conflitos e promover programas de educação socioafetiva. Tutores e tutoras, a coordenação pedagógica e a orientação educacional têm enaltecido vários programas de melhora da convivência e aplicado alguns deles com bons resultados, abrindo, assim, caminho para a mediação.

4. CITAR O REGULAMENTO VIGENTE E A APROVAÇÃO DO CONSELHO ESCOLAR

Exemplo: por outro lado, o regulamento referente aos direitos e deveres dos alunos e as normas de organização e funcionamento da escola propõem a conveniência de contar com mecanismos de mediação [citar textualmente os artigos pertinentes]. Também, o conselho escolar aprova a introdução da mediação escolar [citar sessão e acordos].

5. DEFINIR O CONCEITO DE MEDIAÇÃO ESCOLAR CONFORME A ESCOLA O DEFINE

Exemplo: entendemos a mediação escolar como um processo de gestão positiva de conflitos em que um ou mais mediadores ajudam as partes em desacordo a dialogar para compreender melhor o conflito, colocar-se no lugar da outra, propor soluções alternativas e compactuar uma saída para o conflito, seguindo o modelo de ganho mútuo. Em resultado do processo de mediação, os danos são reparados, as relações, restabelecidas e as pessoas, fortalecidas.

Caso a mediação não consiga solucionar o problema, o conflito é transferido a outras instâncias. [Se se desejar ampliar este tópico, podem ser mencionadas as características da mediação escolar e seus benefícios.]

6. FORMULAR OS OBJETIVOS DO PROGRAMA DE MEDIAÇÃO ESCOLAR

Exemplo: educar para a compreensão e a gestão positiva dos conflitos; capacitar uma equipe de mediadores e mediadoras; dar à comunidade escolar a possibilidade de resolver os conflitos voluntariamente; cultivar a cultura de paz.

7. DEFINIR E ELABORAR AÇÕES QUE SERÃO EXECUTADAS PARA ALCANÇAR OS OBJETIVOS

Exemplo: o plano de ação tutorial incorporará uma sessão por trimestre para discutir a gestão positiva de conflitos e divulgar e apoiar esse processo. Entre as ações a ser implementadas, estão: uma palestra sobre mediação a toda a comunidade escolar; a visita de uma equipe de mediação de outra escola para apresentar sua experiência; a seleção de um grupo de futuros mediadores e mediadoras; um curso de capacitação em mediação; a nomeação de um coordenador ou coordenadora, que disporá recursos para realizar seu trabalho; a escolha de uma sala para a mediação; a divulgação, em todos os canais de comunicação da escola, da inauguração do serviço; o incentivo à participação na mediação; o lançamento de campanhas de denúncia contra injustiças; a promoção de ações de solidariedade; o aprofundamento do aprendizado da paz positiva.

8. ESCLARECER O ALCANCE E OS ÂMBITOS DE INTERVENÇÃO

Exemplo: a mediação será oferecida a todas as pessoas da comunidade escolar que a solicitarem [ou apenas a um setor ou a algum nível concreto de ensino] e constituirá o primeiro passo no momento de solucionar um conflito. Se as pessoas em conflito não desejarem a mediação, poderão dizê-lo no final da primeira sessão informativa e adotar outros caminhos. Os mediadores, quando advertem que um conflito é muito grave ou acarreta perigo para os indivíduos atingidos, devem comunicar o fato a quem coordena o serviço.

Certos conflitos não serão passíveis de mediação, pois a escola poderá considerar mais indicado aplicar as sanções previstas. As mediações serão solicitadas em uma urna ou por contato direto com os mediadores [podem ser contemplados outros canais], realizadas com rapidez, sem interferir nas aulas [detalhar momentos e locais para mediar], o sigilo será mantido e se guardará o histórico de todos os conflitos mediados.

9. ESTRUTURA, FUNÇÕES DA EQUIPE DE MEDIAÇÃO E RECURSO

Exemplo: a equipe de mediação é parte indissociável dos instrumentos de gestão da convivência e dos conflitos escolares, estando vinculada à coordenação pedagógica e à comissão de convivência. A pessoa que coordena a equipe de mediação participa de reuniões periódicas com essas instâncias para trocar informações e trabalhar em comum. A coordenação cabe a uma professora ou um professor e, quando mais de um desempenha essa função, o segundo pode pertencer a outro grupo (corpo discente, famílias, administração, serviços). A equipe de mediação define as tarefas de coordenação, entre as quais estão representar a equipe de mediação, encarregar-se da elaboração do plano de trabalho e do histórico anual, divulgar e incentivar a mediação, prever a formação de mediadores, receber pedidos de mediação, distribuir os casos às duplas de mediadores, ser referência para dúvidas e consultas dos mediadores, estabelecer vínculos com outras escolas mediadoras, participar de encontros, renovar os membros da equipe, manter a sala de mediação em bom estado, propor compra de livros para a biblioteca, sugerir atividades para o plano de ação tutorial, entre outras tarefas.

Mediadores e mediadoras comprometem-se por um ano, renovável a seu pedido, ou, dependendo das necessidades do serviço, devem ter passado no curso ou na oficina inicial de formação e realizado as primeiras mediações com outro mediador mais experiente. Devem estar disponíveis para mediar quando necessário ou no horário previsto e manter sigilo do conteúdo de suas intervenções; registrar no formulário de mediação os conflitos mediados; além disso, participar das reuniões da equipe para rever seu desempenho; disseminar os valores da mediação e da cultura de paz; envolver-se em diversas atividades da escola e colaborar naquelas que tratem de convivência. Também devem participar dos encontros de mediadores de sua região e propor melhorias, entre outras funções que a equipe pode atribuir a si.

Os recursos para o bom funcionamento do serviço de mediação são: local apropriado; tempo para o coordenador, sala para as reuniões e formação da equipe de mediação; material de papelaria; verba para participar de encontros etc.

10. QUALIFICAÇÃO E RECONHECIMENTO DO TRABALHO DE MEDIAÇÃO

Exemplo: o centro proporciona três tipos de certificado aos integrantes da equipe de mediação. O primeiro reconhece a participação no curso ou na oficina de formação, sendo obtido pelos que participaram dele ativamente e completaram a formação. O segundo reconhece a aquisição das competências mediante diferentes instrumentos de avaliação, um dos quais consiste na condução de um processo de mediação real ou simulado sob a observação de um mediador experiente. O terceiro reconhece a experiência adquirida pelo mediador ou mediadora durante um ano de prática. Além disso, cada escola pode estabelecer outros mecanismos de reconhecimento do trabalho prestado pelos membros da equipe de mediação.

11. BALANÇO E PERSPECTIVA

Exemplo: a equipe de mediação apresentará no final do ano letivo um histórico do trabalho realizado, que incluirá uma síntese dos casos mediados, sua diversidade e seus participantes, assim como das várias atividades incentivadas. Também avaliará o próprio trabalho, revelando os pontos fortes e fracos detectados e propondo as modificações necessárias para continuar a implantar e manter uma boa convivência na escola. É aconselhável incluir a avaliação da mediação como um todo (ou de um aspecto concreto analisado) feita pelas pessoas que colaboraram nela ou por outras pessoas da escola (avaliação de 360º). Por fim, a equipe fará as previsões para a renovação de mediadores destacados, bem como as condições para a continuidade do serviço.

PARTE III

O aprendiz de mediador

*"És mestre do que viveste,
artesão do que vives
e aprendiz do que viverás."*
RICHARD BACH

12. Plano de formação

NESTA TERCEIRA PARTE do livro, pretendemos esboçar o esqueleto de um plano de capacitação de mediadores e mediadoras. Por isso o fazemos de modo genérico, isto é, assinalando o sentido dos elementos que o configuram e dando alguns exemplos de como realizá-lo, que, depois, deverão ser redefinidos e detalhados até que se concretize o desenvolvimento de cada uma das sessões de trabalho.

Logicamente, pressupomos que a pessoa encarregada de ministrar o curso ou a oficina domina os conceitos abordados nos dois capítulos anteriores deste livro.

Assim, apresentamos primeiro os *objetivos* da oficina de formação e a seguir enumeramos as *competências e os conteúdos* por desenvolver, agrupados em módulos, para finalizar comentando as *metodologias* de trabalho mais apropriadas para esse tipo de capacitação.

Existem diversos programas de capacitação de mediadores escolares, os quais, em princípio, seguem os mesmos pressupostos que a formação em mediação em qualquer âmbito, ainda que na escola se procure recorrer a metodologias e dinâmicas mais participativas, de modo que a aprendizagem se aproxime ao máximo da realidade da escola e favoreça o que se conhece por *aprender fazendo*.

Deve-se levar em conta se é a primeira vez que a escola lida com mediação ou se já existe uma equipe de mediação. Neste caso, o objetivo do curso será renovar e dar novo incentivo ao serviço, para o que é sempre interessante contar com mediadores experientes que realizem alguma atividade, deem seu testemunho etc.

OBJETIVOS

Em qualquer caso, os *objetivos* do programa devem ser definidos e compartilhados no início do curso ou da oficina, e cada formador precisa adequá-los às características escola, ao ano escolar a que o programa se dirige e ao perfil dos que participam do curso.

OBJETIVOS	
1	Ressaltar a importância de desfrutar um bom clima de convivência.
2	Desenvolver competências socioemocionais.
3	Familiarizar-se com os elementos característicos dos conflitos.
4	Analisar as diversas opções de resposta aos conflitos.
5	Compreender os princípios do processo de mediação e seu desenvolvimento.
6	Desenvolver o próprio perfil de mediador.
7	Adquirir os recursos para conduzir um processo de mediação.
8	Rechaçar a violência e promover ativamente a cultura de paz.

COMPETÊNCIAS

Ser *competente* significa ser capaz de mobilizar todos os recursos de que se dispõe para enfrentar com sucesso determinado desafio – neste caso, um processo de mediação.

As competências do mediador, que abordamos no primeiro capítulo, estão ligadas à sua personalidade, à sua formação prévia, aos novos aprendizados e à experiência adquirida na prática, e indicam aquilo que ele deve saber fazer.

É natural existirem graus diversos de domínio de cada uma das competências, e por isso, num nível inicial, só se apresentam as bases, enquanto nos níveis de aprofundamento e aperfeiçoamento, nos quais se busca a excelência, tudo fica muito mais refinado.

COMPETÊNCIAS	
1	Interiorizar o conceito de mediação, seus princípios e características e seguir as fases de desenvolvimento do processo na prática.
2	Acolher as pessoas em conflito e concentrá-las no trabalho que será realizado, explicando com clareza em que consiste a mediação.
3	Expor as regras para que o processo de mediação possa transcorrer sem atropelos e os participantes saibam a todo momento o que se espera deles e o que podem esperar dos mediadores.
4	Explorar e analisar os principais componentes do conflito para compreender o que aconteceu, como os protagonistas se sentem e como a situação os afeta.
5	Delimitar o conflito mais uma vez, com base nos verdadeiros interesses em jogo, e elaborar uma programação com os temas principais que se deseja resolver.
6	Estimular a criatividade e a cooperação entre as pessoas em conflito para que proponham saídas diferentes para a situação.
7	Ressaltar e promover para as pessoas em conflito a interdependência positiva, o futuro comum, o reconhecimento e a valorização mútua.
8	Dar autoridade aos protagonistas do conflito para que possam decidir com liberdade e por consenso a solução que darão ao conflito.
9	Traçar um plano de ação realista que exponha de modo claro os compromissos e as ações que serão empreendidos por cada pessoa.
10	Dominar os recursos próprios do mediador: gestão de emoções (criar empatia, revelar, moderar), comunicação eficaz (escutar, parafrasear, esclarecer, reformular, resumir), pensamento alternativo (inovar, imaginar) e geração de consenso (criar acordo, pactuar, revisar).
11	Engajar-se para obter um clima de convivência seguro, saudável, inclusivo e justo para todas as pessoas da escola.
12	Praticar os valores da cultura de paz, a não indiferença ativa e a combatividade positiva.

CONTEÚDOS

Em geral, os *conteúdos* abordados num curso ou oficina de mediação podem ser agrupados em módulos bastante amplos. Cada módulo se desdobra de acordo com o tempo de duração do curso, a idade dos participantes do programa e seus conhecimentos prévios.

Os módulos devem responder a certos desafios ou questões fundamentais no âmbito da gestão positiva dos conflitos. Para isso, é necessário somar o conhecimento das pessoas que convivem dia a dia na escola às contribuições e ao conhecimento da pessoa encarregada da capacitação de mediadores, o que, como veremos, exigirá estratégias metodológicas fundamentalmente participativas.

	MÓDULOS	DESAFIOS	CONTEÚDOS
A	A CONVIVÊNCIA PACÍFICA	• Em que situação gostaríamos de estar na escola? • O que podemos fazer para conseguir um bom clima de convivência? • O que significa viver e conviver em paz? • Como nos organizamos para conviver em paz?	– Clima de convivência – Diversidade e inclusão – Coesão do grupo – Convivência pacífica – Valores para a paz – Normas democráticas
B	O PROCESSO DE MEDIAÇÃO	• Para que precisamos de mediação? • Quais são as suas características? • Como transcorrer um processo de mediação? • Quando não se pode mediar?	– Conceito de mediação – Princípios – Normas – Fases do processo: o que aconteceu conosco? Em que nos interessa? Como solucionamos? – Limites da mediação – O caso da intimidação escolar ▶

C	OS CONFLITOS	• Que conflitos temos na escola? • Como se define um conflito? • Que elementos constituem um conflito? • Como os solucionamos normalmente? • Quais são as opções para solucionar um conflito?	– Banco de conflitos – Conceito de conflito – A pessoa, o problema, o processo – Os posicionamentos, os interesses e as necessidades – As camadas do conflito – A dinâmica do conflito – Respostas passivas, assertivas e agressivas – Tipos de resposta ao conflito – O enredamento[2]
D	AS PESSOAS	• Por que ocorrem conflitos entre as pessoas? • Qual é o papel das emoções? • Como cada pessoa relata o problema que tem?	– Os preconceitos – As percepções – A interdependência – As emoções – Os relatos
E	O PAPEL E OS RECURSOS DO MEDIADOR	• Que técnicas os mediadores usam? • Que valores promovem? • Como são os mediadores? • O que é mediação conjunta?	– Técnicas para criar empatia, refletir, parafrasear, esclarecer, resumir, reformular, delimitar, cooperar, imaginar, criar consenso, pactuar, aplicar, revisar – Valores: compreensão, fortalecimento, cooperação, justiça – Perfil do mediador – Características da comediação
F	O SERVIÇO DE MEDIAÇÃO	• Como se executa o serviço de mediação na escola?	– Divulgação do serviço de mediação – Organização e funcionamento do serviço de mediação – Registro de conflitos mediados – Renovação e ampliação do serviço de mediação

---

2. A autora usa em espanhol a expressão *entrampamiento*, que, segundo sua explicação, indica uma situação extrema da qual não se consegue ou não se quer sair e na qual só se perde. [N. T.]

METODOLOGIAS

O formador deve esclarecer os conceitos e sugerir recursos e leituras que contribuam para a melhor assimilação do trabalho desenvolvido por mediadores e mediadoras. Além disso, tem de se assegurar de que esses conceitos são os que orientam a prática dos futuros mediadores.

Por se tratar de uma atividade prática, é lógico que a aprendizagem de mediação seja feita por meio de metodologias e estratégias didáticas que exijam o envolvimento e a participação ativa das pessoas que serão capacitadas. Algumas das metodologias mais empregadas são descritas a seguir.

DINÂMICAS SOCIOAFETIVAS

Dizem respeito a jogos de simulação com forte componente lúdico, nos quais os participantes se envolvem física, cognitiva, emocional e socialmente. Ao terminar a atividade, reflete-se em conjunto sobre a experiência e as sensações vividas, respeitando todas as observações e tirando as primeiras conclusões. A seguir, essas conclusões são aplicadas a situações da vida real para visualizar opções e atuar de um modo cada vez mais eficiente diante dos conflitos.

ROLE-PLAYING

A dramatização de conflitos, a representação de finais prováveis e a simulação das fases do processo de mediação são utilizadas para consolidar as técnicas diversas e o processo como um todo. O *role-playing* permite, assim, colocar-se na pele do mediador e ensaiar antes de passar a mediar conflitos reais. É comum cinco indivíduos participarem da dramatização do processo: dois mediadores, duas pessoas em conflito e um observador. A tarefa deste consiste em tomar notas com base num roteiro e dar apoio e *feedback* aos mediadores quando a prática se encerra.

DEBATE E CONTROVÉRSIA PROGRAMADA

As pessoas que se preparam para mediar provêm de lugares muito distintos, de modo que seus pontos de vista sobre os conflitos e a maneira de resolvê-los costumam ser bastante variados e talvez cheios de preconceitos. Portanto, é necessário abrir um espaço de debate sobre os diversos conteúdos. Também se pode apresentar dilemas e abordá-los por meio da chamada controvérsia programada, cujo objetivo não é reafirmar nem desmentir os próprios pontos de vista, mas colocar-se na pele daqueles que pensam de outro modo para poder escutar e compreender melhor suas ideias, aceitando e incorporando num discurso comum os elementos com os quais se concorda para obter, assim, o máximo grau possível de consenso.

PROJETOS DE TRABALHO, APRENDIZAGEM POR TAREFAS, COM BASE EM PROBLEMAS OU NA PRÁTICA E GRUPOS DE COOPERAÇÃO

A implementação da mediação na escola pode ser entendida como um projeto de trabalho, como uma tarefa por cumprir, um problema para enfrentar ou um serviço à comunidade.

Ainda que sejam metodologias com requisitos bem específicos, seu traço comum é que o grupo assume a liderança, compartilha os conhecimentos prévios, determina os próprios objetivos, formula as perguntas que deverão ser respondidas, distribui as tarefas de coleta e seleção da informação e constrói pouco a pouco o projeto de mediação que funcionará na escola.

DIÁLOGOS DE APRECIAÇÃO

As metodologias de apreciação fazem aflorar a inteligência coletiva e o potencial do grupo para projetar, a partir daí, a maneira de realizar seu "sonho". A intenção é somar forças para alcançar objetivos que talvez parecessem inalcançáveis.

DESIGN THINKING

Essa metodologia proveniente do campo do desenho procura gerar inovação em qualquer área, tem um fundo lúdico e costuma utilizar um estilo de comunicação muito visual (fotos, mapas, notas adesivas, cores) para apresentar as ideias de forma extraordinariamente sintética e ao mesmo tempo causar impacto.

Caracteriza-se pela busca de empatia, pelo trabalho em equipe (quanto mais diverso, melhor) e pela geração de "protótipos" ou projetos, que passam por testes para identificar acertos e falhas e introduzir ajustes e aprimoramentos. Em geral, é aplicada em ambientes confortáveis e inspiradores, nos quais se supera o medo de errar e fluem a empatia, o otimismo, a inventividade e a curiosidade.

GAMIFICAÇÃO (LUDIFICAÇÃO)
No âmbito da cultura de paz e da gestão positiva de conflitos foram elaboradas atividades de aprendizagem baseadas na mecânica dos jogos, com suas regras, narrativa, personagens, recompensas, níveis de dificuldade etc., que motivam as pessoas a participar e superar os desafios propostos por meio de colaboração, obtenção de informação ou mediante determinados comportamentos até alcançar o objetivo ou a meta pedida pelo jogo.

AMBIENTE VIRTUAL
A informática, por meio de grupo de WhatsApp, blogue, *site*, Moodle ou qualquer outro aplicativo, permite pôr ao alcance de mediadores e mediadoras muito material, criar vínculos com outras entidades, disponibilizar vídeos e tutoriais, enviar convites, entregar trabalhos e ampliar o ambiente de aprendizagem com grande facilidade. Tem ainda a vantagem de facilitar a manutenção do programa de mediação em anos posteriores e servir de memória de todo o trabalho que se realiza.

13. Atividades de aprendizagem e prática

PARA ASSEGURAR O BOM desenvolvimento das competências dos futuros mediadores e mediadoras, é muito importante familiarizá-los com a cultura de paz e seus valores, assim como garantir um bom domínio das técnicas imprescindíveis para conduzir um processo de mediação. Porém, nada é demais na capacitação: cada pessoa precisa se comprometer a trabalhar ativamente pelo bem-estar na escola.

Sugerimos a seguir o projeto de uma oficina, para que quem se encarregar da formação tenha um ponto de partida, ou seja, uma orientação para obter ideias e configurar um plano de ação próprio.

A oficina está estruturada em dez sessões de trabalho, nas quais se executam os passos necessários para completar a formação dos futuros mediadores. Em todas as sessões são especificados *objetivos, competências, conteúdos, atividades* e *encerramento da sessão*. Estas são as dez sessões:

1. Dar as boas-vindas.
2. Viver e conviver em paz.
3. Conhecer a mediação.
4. Compreender os conflitos.
5. Compreender as pessoas.
6. Compreender os mediadores e as mediadoras.
7. O que aconteceu conosco?
8. Em que nos interessa?

9. Como solucionamos?
10. Inaugurar o serviço de mediação.

PRIMEIRA SESSÃO: DAR AS BOAS-VINDAS

OBJETIVOS
Ressaltar a importância de desfrutar um bom clima de convivência.

COMPETÊNCIAS
Engajar-se para obter um clima de convivência seguro, saudável, inclusivo e justo para todas as pessoas da escola.

CONTEÚDOS
- Em que situação gostaríamos de estar na escola? – Clima de convivência.
- O que podemos fazer para conseguir um bom clima de convivência? – Diversidade e inclusão. Coesão do grupo.

ATIVIDADES
- *Apresentação do responsável pela formação e de cada um dos futuros mediadores.* Dinâmica socioafetiva para memorizar nomes, dizer quem somos e conhecer os outros. Em rodadas sucessivas dizemos:
  1. nome;
  2. comida favorita;
  3. cor preferida;
  4. algo original, curioso ou que ninguém imaginaria;
  5. número de irmãos e irmãs;
  6. uma coisa que não suporto;
  7. motivos para querer participar da equipe de mediação etc.

  O formador pode formular perguntas no final da rodada para manter a atenção: quem prefere o amarelo? Qual é a comida de

que a Norma mais gosta? etc. Afirma-se que todos somos diferentes e isso é que nos torna tão interessantes e valorosos.
- *Introdução ao curso-oficina de mediação.* Calendário, horário, sala, questões de organização etc., anunciados oralmente ou em cartazes, que são afixados nos quadros de aviso da escola, à vista de todos. Caso se forme um grupo de WhatsApp, é possível relembrar as sessões e manter a comunicação entre mediadores e mediadoras. Também se pode criar um blogue, um *site* ou qualquer outro ambiente virtual para compartilhar todos os materiais, *links*, fotos das sessões etc.
- *Expectativas e objetivos da formação.* Pedimos que escrevam em duplas três coisas que desejariam que acontecessem no curso ou o que esperam dele. Compartilhamos as ideias, sem repeti-las, e comentamos as respostas, que deveremos levar em conta na hora de preparar as sessões.
- *Diversidade, inclusão e clima de convivência.* São apresentados os conceitos de diversidade e inclusão, em torno dos quais a sessão gravitará. É muito importante não confundir diversidade com características diferentes daquelas consideradas "normais" – nem com carências – e compreender que se consegue fazer a inclusão quando são eliminadas as barreiras que impedem uma pessoa de progredir.

A seguir, explica-se a metodologia *world cafe* e formam-se seis grupos, com uma pessoa fixa que resume e toma notas, enquanto as outras se misturam e fazem um rodízio a cada cinco minutos.

Cada grupo tem um cartaz com uma frase incompleta para responder à pergunta "em que situação gostaríamos de estar na escola?" Exemplo: 1) As famílias estariam melhor se... 2) Os professores estariam melhor se... 3) Os alunos estariam melhor se... 4) Os ambientes seriam mais agradáveis se... 5) As aulas melhorariam se... 6) Trabalharíamos melhor na escola se...

Distribuem-se papéis adesivos pelas mesas, expostos junto com os cartazes. São tiradas fotografias ou guardadas as

respostas fruto da inteligência coletiva do grupo e reflexo de seu sentimento a respeito do clima de convivência.
- *A coesão do grupo: fases e dinâmicas.* Explica-se que se obtém uma boa convivência trabalhando para formar grupos inclusivos e coesos em que todas as pessoas, sejam como forem, sintam-se bem-vindas. Indicam-se as fases de criação de grupo – apresentação, conhecimento, afirmação, confiança, comunicação, cooperação e elaboração de conflitos – e dedica-se o resto da sessão à realização de dinâmicas para criar um bom ambiente, gerar confiança entre os futuros mediadores e mediadoras e dar a eles recursos para que sejam agentes da acolhida na escola.

ENCERRAMENTO DA SESSÃO

O que aprendemos nesta sessão? Outra vez em duplas, pede-se que pensem em três coisas que considerem interessantes ou significativas na sessão. A pessoa que comanda a formação aproveita o compartilhamento para recapitular o trabalho desenvolvido. Além disso, pode passar uma tarefa de leitura, uma prática ou uma ocupação breve para fazer durante a semana.

SEGUNDA SESSÃO: VIVER E CONVIVER EM PAZ

OBJETIVOS
Rechaçar a violência e promover ativamente a cultura de paz.

COMPETÊNCIAS
Praticar os valores da cultura de paz, a não indiferença ativa e a combatividade positiva.

CONTEÚDOS
- O que significa viver e conviver em paz? – Valores para a paz. Convivência pacífica.

- Como nos organizamos para conviver em paz? – Normas democráticas.

ATIVIDADES
- *Harmonia interior.* Inicia-se a sessão com uma atividade que ajude a conectar cada pessoa ao seu mundo interior; pode ser uma atividade de descontração, de visualização, conscientização ou similar. Pode-se ambientar a sessão com velas, aromas, música ou objetos para criar um ambiente sereno, descontraído e de bem-estar.
- *Valores para a paz.* Aproveita-se o clima criado para trabalhar os valores da paz. A Unesco propõe mais de 40: amizade, amor à natureza, amor ao esforço e ao trabalho conjunto, amor ao que é nosso, amor e compreensão, amor filial, autocontrole, autoestima, bondade, bravura, coletivismo, compaixão, confiança em si mesmo, confiança mútua, cooperação e ajuda mútua, criatividade, curiosidade, democracia, diligência, flexibilidade, generosidade, gentileza, gratidão, honestidade, independência, justiça, liberdade, obediência, paciência, perseverança, persistência, resiliência ou tolerância à frustração, respeito à diversidade, respeito ao bem comum, respeito ao estranho, responsabilidade, sensibilidade, sinceridade, solidariedade, tolerância, veracidade.

  Uma opção pode ser construir uma árvore e afixar nela cada valor como se fosse uma folha, com o nome do valor à frente e seu significado no verso – ainda que qualquer outra proposta artística seja igualmente interessante.

  Por fim, comenta-se a importância de praticar esses valores no dia a dia e se incentiva a realizar isso, por exemplo, apadrinhando um deles e usando-o como guia na própria ocupação na escola.
- *A paz positiva e sua construção.* Explica-se que existem muitos tipos de paz – a harmonia interior é apenas um deles. A paz positiva, por exemplo, é uma paz ativa e imperfeita, que consiste

em não ser passivo diante de injustiças e do sofrimento das pessoas. Ao mesmo tempo, proíbe por completo a utilização da força como justificativa para acabar com a violência. Reflete-se a respeito de exemplos de injustiças no planeta, mas também ao nosso redor, já que é na vizinhança próxima que atuarão como mediadores.

- *Formam-se a seguir dez grupos para pensar em dez normas que poderão funcionar na escola.* Cada grupo deve partir de um problema, formular um objetivo e, enfim, criar uma norma. Para que sejam democráticas de verdade, as normas devem ser aceitas por todos, porque o que se deseja pode ser transmitido à comissão de convivência ou aos tutores.

Convém também ressaltar que todos devem respeitar as normas, uma vez que calar e cruzar os braços diante de uma injustiça é apoiar os que abusam dos outros.

ENCERRAMENTO DA SESSÃO

Cada pessoa escreve uma impressão, reflexão ou comentário sobre a sessão, no formato de um tuíte (280 caracteres). A pessoa encarregada da formação sintetiza o trabalho e recomenda que se assista a algum documentário relacionado com a paz, ou ainda a leitura de uma notícia atual.

TERCEIRA SESSÃO: CONHECER A MEDIAÇÃO

OBJETIVOS
Compreender os princípios do processo de mediação e seu desenvolvimento.

COMPETÊNCIAS
Interiorizar o conceito de mediação, seus princípios e suas características e seguir as fases de desenvolvimento do processo na prática.

CONTEÚDOS

- Para que precisamos de mediação? – Conceito de mediação.
- O que é e quais são as suas características? – Princípios. Normas.
- Como transcorre um processo de mediação? – Fases do processo: o que aconteceu conosco? Em que nos interessa? Como solucionamos?
- Quando não se pode mediar? – Limites da mediação. O caso da intimidação escolar.

ATIVIDADES

- *Chuva de palavras.* Pede-se aos participantes da oficina que digam uma palavra que associam a mediação (diálogo, solução, voluntário, conflito, mediador, ajustar, sigilo etc.). Outra opção é imprimir as palavras em tiras de papel e distribuí-las. São utilizadas palavras para que todos as classifiquem em três (ou quatro) colunas: 1) palavras que nos digam o que é a mediação; 2) palavras que nos digam quais são os princípios e as normas da mediação; 3) palavras que nos digam o que os mediadores fazem; 4) palavras que, em realidade, não pertencem ao âmbito da mediação (se for o caso). Formula-se uma definição de mediação e volta-se a insistir em seus princípios e normas (esta informação pode ser extraída de partes diferentes deste livro). Para terminar, propõe-se a representação em grupos de uma escultura de mediação (ou fotografia) ou uma microapresentação, um número humorístico etc., que deve ter um título comentado por cada grupo.
- *Fases do processo.* O que aconteceu conosco? Em que nos interessa? Como solucionamos? Entrega-se uma cópia de "Desenvolvimento do processo de mediação passo a passo" (Capítulo 4) e se esclarecem os conceitos básicos, mas sem pormenorizar todos os aspectos do processo. A mediação pode ser visualizada por meio de gravação (de exemplos existentes na rede ou próprios), leitura (com base no desenvolvimento de algum caso concreto), de improviso ao vivo (segundo um caso proposto

por quem faz a formação, convidando dois participantes do curso a representar as pessoas em conflito).
- *Antes, durante e depois ou nunca.* Para entender quando o uso da mediação é apropriado e quando não é, apresentam-se exemplos de situações para que cada grupo decida o que os mediadores podem fazer. Quanto mais parecidos forem os exemplos dos conflitos que realmente ocorrem na escola, melhor. Depois de cada grupo ter compartilhado os casos que estudou, pode ser a ocasião de propor outras situações diferentes, que serão debatidas conjuntamente.
  - *Caso 1.* Laura e Paula participam do mesmo grupo de trabalho cooperativo. Discutem o tempo todo porque nenhuma aceita as ideias da outra. O grupo não progride.
  Resposta. A mediação, nesse caso, age preventivamente antes que a situação se agrave. Ainda que não tenham descumprido norma alguma nem trocado insultos ou agressões, está claro que têm um problema.
  - *Caso 2.* Marcos e Chico se insultaram e agrediram. Por sorte não foram além de uns empurrões, já que um professor os separou e mandou-os à mediação.
  Resposta. A mediação, aqui, atua num conflito evidente. Não se toleram insultos e agressões, porque, se o caso não se resolver de comum acordo, é possível que a escola aplique alguma medida disciplinar.
  - *Caso 3.* Rosana, do 1º ano, junta-se com os colegas de seu primo do 4º ano, que só pensam em sair da escola. Há boatos de que pertencem a uma gangue e que algum deles estão fichados na polícia por ataques racistas. Rosana implica sempre com Fátima porque esta vai de lenço na cabeça [costume muçulmano] e passou de insultos a humilhações e pancadas, até que hoje a encurralou no banheiro e a ameaçou com um canivete. Fátima está aterrorizada; acabou de chegar ao país e não entende o que está acontecendo.

Resposta. A mediação, nessa situação, talvez seja desaconselhável para resolver o problema. Por um lado, observa-se um grande desequilíbrio de poder e, por outro, a escola tem normas muito claras a respeito de armas. Além disso, quer transmitir uma mensagem assertiva contra gangues e o racismo, motivo pelo qual considera mais adequada a abertura de um processo administrativo contra Rosana e sua suspensão temporária da escola. Mas o que acontecerá na escola enquanto isso? E quando Rosana voltar, como Fátima se sentirá? A suspensão resolveu o problema? A mediação tem muito para fazer depois do conflito: Rosana está estigmatizada e Fátima, deveras assustada. Assim, vale a pena compactuar como ficarão na escola de agora em diante.

- *Caso 4*. Alberto é um garoto muito magro, com um tom amarelado de pele. Leonor o acha engraçado e o chama de "ranho", faz com ele todo tipo de piada; uma das mais apreciadas é atirar um lenço no rosto dele depois de assoar o nariz. Agora, inúmeras outras pessoas fazem o mesmo e Alberto passa o dia pegando lenços de papel e chorando de impotência. O desamparo só lhe aumentou o suplício: agora, em vez de assoarem o nariz, passam secreção nasal em suas roupas, mochila, cadeira... Alberto começou a faltar às aulas e, quando o professor pergunta sobre ele, Leonor responde que ele deve estar cheio de catarro, o que faz todo o grupo rir.

Resposta. Essa "piada" é um caso claro de assédio, ou *bullying*, já que reiteradamente e com má intenção se agride e humilha uma pessoa que não está em condição de se defender. Quando se descobre a tempo esse tipo de situação, existe grande probabilidade para a mediação, porque dá voz à vítima e a fortalece, ao mesmo tempo que estimula a empatia e a interdependência no agressor. No entanto, quando o problema ocorre há muito tempo, a vítima é levada a pensar que merece o que lhe fazem, negar o que está acontecendo e ficar paralisada, ou seja, incapaz de participar da solução do conflito. Do lado do agressor, a falta de empatia o impede de perceber o dano que causa, de modo que ele nega o problema. Além disso, todo o grupo da sala de aula está envolvido – portanto, a mediação, se tentada, exigiria mediadores muito capazes e especializados e não seria suficiente para resolver o problema.

- *Caso 5.* Paulo e Jamal deram-se um encontrão na escada, o que foi suficiente para dar vazão a todo tipo de insulto e xingamento. Uma professora que já havia iniciado a aula teve de sair da classe e chamar a atenção deles, porque estava farta de ver um incidente a cada mudança de aula. Hoje são os terceiros que ela manda à mediação pelo mesmo motivo. A escola é antiga, ficou pequena para o número de matriculados e a escada é bem estreita. Garotos e garotas transitam por ela sem olhar e pulando os degraus de três em três, porque, se chegam atrasados à aula, recebem castigo.

Resposta. Esse caso pode perfeitamente ser mediado, mas resolver o problema entre Paulo e Jamal não parece ser a solução para o que acontece na escada. Quando a equipe de mediação detecta um conflito generalizado, precisa analisá-lo numa sessão conjunta de mediadores e propor soluções alternativas, que são transmitidas à direção da escola para levá-las em consideração: trajetos diferentes, período maior para a troca de aula, linhas claras de subida e de descida, observadores de convivência ajudando até que o trânsito se normalize, sensibilização, nas tutorias, sobre como circular pela escola etc.

ENCERRAMENTO DA SESSÃO

Faz-se uma análise da sessão perguntando: quem sabe definir o que é mediação? Quem consegue enumerar os três passos do processo de mediação? Quem sabe apontar um limite na hora de mediar? Como tarefa para a semana, pode-se pedir a cada participante da oficina que observe a convivência na escola e tome nota de alguns conflitos, mantendo seus protagonistas no anonimato.

QUARTA SESSÃO: COMPREENDER OS CONFLITOS

OBJETIVOS
- Familiarizar-se com os elementos característicos dos conflitos.
- Analisar as diversas opções de reação aos conflitos.

COMPETÊNCIAS
Explorar e analisar os componentes principais do conflito para compreender o que aconteceu, como os protagonistas se sentem e como a situação os afeta.

CONTEÚDOS
- Que conflitos temos na escola? – Banco de conflitos.
- Como se define um conflito? – Conceito de conflito.
- Que elementos constituem um conflito? – A pessoa, o problema e o processo. Os posicionamentos, os interesses e as necessidades. As camadas do conflito. A dinâmica do conflito.
- Como os solucionamos normalmente? – Respostas passivas, assertivas e agressivas.
- Quais são as opções para solucionar um conflito? – Tipos de resposta ao conflito. O enredamento.

ATIVIDADES
- *Banco de conflitos.* Grupos de cinco pessoas comentam os conflitos observados e escolhem um deles (melhor que haja dois lados claramente conflitados). Dá-se a ele um nome divertido, original ou surpreendente (necessário para tomar distância e poder vê-lo de maneira nova). Em seguida, pede-se a cada grupo que identifique os protagonistas do conflito, dê-lhes um

nome e, pondo-se em seu lugar, explique como seus integrantes veem o que está acontecendo, como se sentem, como a situação os afeta, o que necessitam para solucionar o problema. A seguir, passa-se a escrever sobre o conflito, contando sua história, como começou, o que o agravou, que danos são identificáveis, como se correlacionam e a implicação de outros participantes. Por fim, os grupos devem escrever como imaginam que o conflito acabará. Outra possibilidade é que o formador leve os conflitos para trabalhar nessa sessão.

- *Os burros*. Mostramos ou projetamos uma imagem em que dois burros unidos por uma corda se esforçam para alcançar seus respectivos montes de feno, a fim de explicar o que é um conflito (mas não apresentamos a solução) – percepção da incompatibilidade de interesses entre pessoas ou grupos interdependentes. Pede-se a cada grupo que exponha o problema trabalhado na atividade anterior (*banco de conflitos*). Na rodada seguinte, devem comentar quem são os protagonistas; na terceira, qual foi o processo em que o conflito se desenrolou, isto é, sua história. Assim, são identificados claramente o problema ou elemento fundamental, a pessoa ou o elemento subjetivo e o processo ou elemento relacional, cuja análise é importante para compreender qualquer conflito.
- *Dê-me o motivo, dê-me o que me interessa da verdade, dê-me o que necessito*. Explica-se que se costuma comparar um conflito com um *iceberg*, porque só uma parte dele aparece. O trabalho do mediador é fazer aflorar a parte submersa, a mais importante quando se procura uma solução verdadeira. Para tanto, convém distinguir as posições (o que a pessoa exige, aquilo de que reclama, supostos direitos, argumentos de defesa ou ataque etc.), interesses (aquilo que importa de verdade, o que está em jogo) e necessidades (deve-se cooperar para obter os recursos necessários e então satisfazê-las). Pois bem, o mediador tem de conseguir que as pessoas passem de posicionamentos a interesses, porque com necessidades verdadeiras não se negocia.

Retomam-se os conflitos e tenta-se ver quais são os posicionamentos e quais os interesses reais.

Em seguida, explica-se que os conflitos podem ter várias camadas: fundamental (algo que as duas partes querem), relacional (ciúmes, inveja, rejeição etc.), subestrutural (aquilo que a cultura da escola promove) e estrutural (aquilo que impera no ambiente social).

Um exemplo seria: dois garotos discutem porque gostam de times de futebol diferentes, querem a mesma garota e competem por tirar as melhores notas, de modo que a soma de conflitos fundamentais acaba gerando uma relação ruim. A partir desse momento, tudo que um diga ou faça incomoda o outro. Se, ainda por cima, a escola destaca um deles como exemplo de bom aluno (talvez porque tenha dificuldades econômicas por ser imigrante), dá-lhe oportunidades de representar a escola em concursos, debates e demais atividades, isso ajudará esse garoto a se sentir com direito de pisotear o outro. A camada mais externa, que poderia ser representada pelo restante das famílias e pelo ambiente social mais amplo, talvez pense que é injusto gastar os recursos que a garotada daqui necessita com garotos provenientes de outra cultura, de modo que o conflito também é alimentado pelo lado de fora. Outro elemento a considerar é a dinâmica do conflito: escalada, estancamento e diminuição.

Agora, cada grupo deve desenhar uma escada marcando aqueles fatos (agressões) que fizeram crescer o conflito em análise. Também podem avaliar se pararam (não há nem agressões nem relação entre as partes) ou se começaram a diminuir (se houve tentativa de interromper as hostilidades e provas de boa vontade). Reafirma-se que, quanto antes se intervier em um conflito, mais fácil se torna encontrar uma boa solução para ele – motivo pelo qual a mediação é também preventiva. Por outro lado, para poder aplicar sanções, é preciso que o conflito tenha chegado a certo grau de gravidade.

- *Atacar, fugir ou cooperar*. Pede-se a três participantes que saiam da sala; os demais se levantam e formam um círculo fechado para impedir que qualquer pessoa penetre no meio dele. Diz-se aos que estão fora que lá dentro há um tesouro guardado por uma muralha de dragões ferozes e que eles têm de atravessá-la para conquistá-lo. Entra cada um por vez, e os dragões deixam passar para obter o tesouro apenas aquele que conseguir pedir passagem com muita gentileza. Explica-se que há pessoas que quando são "provocadas" respondem agredindo ou contra-atacando, com o que perpetuam a violência. Outras, por sua vez, não fazem nada, sofrem, se calam e esperam que os problemas se resolvam sozinhos, permitindo que a violência triunfe. Mas existe uma terceira via, muito mais própria do ser humano, que é o diálogo: diante das dificuldades, deve-se falar, falar e falar. Procuram-se exemplos reais dessas três opções.
- *Eu ganho-você ganha*. Em mediação, trabalha-se para que ambos os lados saiam ganhando, isto é, possam satisfazer seus interesses (assertividade) e ajudar o outro a também conseguir o que lhe importa de verdade (cooperação), já que essa é a maneira mais eficaz e construtiva de solucionar a questão. O formador mostra a parte final da imagem dos burros, em que se sentam frente a frente para dialogar e então vão juntos comer um montão de feno e depois comem o outro (ganho mútuo). São explicados os cinco tipos clássicos de reação a um conflito: competição (eu ganho, você perde), colaboração (eu ganho, você ganha), compromisso (ganho pouco, perco pouco), acomodação (eu perco, você ganha) e evasão (eu perco, você perde).

    Nenhuma dessas reações é melhor que a outra; tudo depende da situação. O que conta é ter capacidade de escolher como agir. A seguir, cada grupo volta a analisar o conflito e propõe cinco saídas possíveis, uma por tipo de reação.
- *Descer do burro*. Explica-se que às vezes as pessoas ficam presas a um conflito. Como não querem "descer do burro",

investem tempo e energia para prejudicar a outra parte sem se dar conta de que desse modo também se prejudicam. Por exemplo: neste sábado seus pais querem que você estude e você quer ir à festa de aniversário de um amigo; você diz a eles que, se não o deixarem ir à festa, você não estudará nem no sábado nem nunca, e eles lhe respondem que, então, você não sairá nunca. Chega o sábado e você se senta no sofá para jogar no celular, e seus pais, para que suas intenções fiquem bem claras, aproveitam para esconder todos os seus calçados. Quando você se dispõe a passear com o cachorro, dá-se conta de que seus pais estão levando a questão tão a sério como você etc. É uma situação sem saída, que só pode piorar, prejudicando a todos, porque ninguém consegue o que pretende.

O desafio dos mediadores é desembaraçar esse tipo de situação. Uma das estratégias mais utilizadas é pedir provas de boa vontade. Num caso como o anterior, o garoto poderia ter feito metade do estudo, ido à festa e terminado o estudo no dia seguinte. Ou poderia ter ido à festa rápido e voltado para dormir em boa hora. Ou poderia ter-se levantado bem cedo para avançar no estudo e ido tranquilo à festa. Ou poderia ter convidado um amigo a passar o fim de semana para estudarem e se divertirem juntos.

ENCERRAMENTO DA SESSÃO

Recorda-se que nessa sessão foram abordados os elementos essenciais para compreender bem o que são os conflitos e como se desenrolam. Para avaliar a sessão, pede-se a cada pessoa que prepare um sanduíche: comentário positivo-crítica construtiva e sugestões de melhora-comentário positivo. Como tarefa prática, determina-se a observação de situações de enredamento ao redor. Outra opção seria desenhar histórias em quadrinhos para representar um conflito com três finais diferentes (ataque, fuga, cooperação).

QUINTA SESSÃO: COMPREENDER AS PESSOAS

OBJETIVOS
Familiarizar-se com os elementos característicos dos conflitos.

COMPETÊNCIAS
Explorar e analisar os principais componentes do conflito para compreender o que aconteceu, como os protagonistas se sentem e como a situação os afeta.

CONTEÚDOS
- Por que ocorrem conflitos entre as pessoas? – Os preconceitos. As percepções. A interdependência.
- Qual é o papel das emoções? – As emoções.
- Como cada pessoa relata o problema que tem? – Os relatos.

ATIVIDADES
- *Quem é quem?* Mostram-se rostos diferentes em uma tela ou em cartões. Trata-se de descobrir e argumentar quem tem três filhos, quem é médico, quem compete em corridas automobilísticas, quem trabalha em salão de beleza, quem gosta de gatos (tenta-se surpreender)... Cada grupo decide quem é quem e diz os motivos que o levaram a tal conclusão. Revela-se a resposta verdadeira e, tenham acertado ou não, explica-se que, no momento de opinar sobre alguém, em geral nos baseamos em preconceitos – ideias que fazemos de uma pessoa ainda sem conhecê-la, as quais condicionam nossa relação com ela. Às vezes os preconceitos são fruto de generalizações: os jovens são preguiçosos, as loiras são burras, o médico e a enfermeira (quando são uma médica e um enfermeiro) etc.
- *A seguir, em um cartão, cada pessoa escreve* algo surpreendente, inesperado ou desconhecido sobre si mesma. Alguém mistura os cartões e os põe com o escrito para baixo. Então, um a um é exibido e se tenta descobrir a que pessoa do grupo

ele corresponde. Se der tempo, narra-se a conhecida história em que uma mulher entra em um bufê gratuito e se serve de um prato de sopa. Quando se senta à mesa, percebe que não pegou uma colher, levanta-se para buscá-la e, ao voltar, vê que um homem com trajes velhos está tomando a sopa dela. Inteiramente indignada diante de tanta desfaçatez e disposta a desafiar o homem, senta-se ao seu lado e mete a colher no prato – pois não faltava mais nada! –, até que ambos terminam a sopa. O senhor se levanta para ir embora, despedindo-se dela com muita educação e um sorriso aberto, o que a enfurece ainda mais. Então, a mulher se dá conta de que não está com a carteira e sai correndo atrás do homem gritando "pega ladrão!" e então percebe seu prato frio e seus pertences algumas mesas adiante.

Conclui-se com isso que todas as pessoas têm uma combinação singular de características e que opinar sem conhecer gera preconceito. Muitas vezes, as pessoas que recorrem à mediação chegam cheias de preconceitos e desconhecimento mútuo.

- *Vejo, vejo – o que você vê?* Para explicar o que são percepções ou pontos de vista subjetivos sobre uma mesma situação, pode-se comentar um filme (para uns, muito bom; para outros, péssimo) ou ver imagens de ilusão de óptica que podem ser interpretadas de várias maneiras, ou o teste da bailarina que gira sem parar (para uns, no sentido horário; para outros, no anti-horário), ou pedir a três pessoas que saiam da sala e projetar uma imagem para que uma após a outra explique o que vê. Todos percebem que existem pontos de vista ou percepções distintas diante de uma mesma situação e todos podem ter uma parte de razão. Para os mediadores interessa captar o ponto de vista de cada um e então avançar a partir disso.
- *Quando aquilo que um faz afeta o outro e vice-versa, há interdependência.* Em meio a todos, apresentam-se exemplos de interdependência: pais e filhos, professores e alunos, chefes e

funcionários etc. Não se costuma usar a mediação quando as pessoas que estão em conflito não têm nem relações nem interesses comuns.
- *O dado das emoções.* Prepara-se um dado gigante, se a atividade for realizada com um grupo grande, ou vários dados medianos, se a atividade for feita com grupos separados. Em cada face do dado se escreve: me dá medo...; adoro...; me entristece...; me dá raiva...; me surpreende...; me alegra... Deve-se lançar o dado e completar a frase, para que se veja que as emoções são subjetivas e que cada um gosta ou desgosta de coisas bem diferentes. Por exemplo: um cachorro vem até você e o toca com a pata – o que você sente? A resposta pode ser "me dá medo de que me morda"; "adoro brincar com ele"; "fico triste, porque o meu morreu há pouco tempo"; "me dá raiva porque me suja"; "me surpreende, porque ele nem me conhece"; "fico feliz, porque assim posso começar a conversar com a dona dele".

    Em mediação, pergunta-se a cada pessoa como ela se sente para que possa revelar suas emoções, e nunca se deve julgá-la ou criticá-la por seu modo de viver a situação.
- *Conte-me seu conto.* Recuperam-se os conflitos da sessão anterior e pede-se que dois membros de cada grupo assumam o papel das partes conflitadas. Em rodízio, sentam-se numa cadeira no centro da sala e todos lhes fazem perguntas, a que devem responder pondo-se na pele da pessoa que representam. Quando uma pessoa acaba seu relato, convida-se um futuro mediador ou mediadora a repetir a história, insistindo em que o trabalho do mediador consiste em demonstrar sua capacidade de escuta sem tomar o partido de ninguém.

ENCERRAMENTO DA SESSÃO

Prende-se um papel na parede para traçar a cronologia dessa sessão. Um voluntário escreve com marca-texto uma frase curta (ou uma só palavra) sobre seu início. A seguir, outro escreve a atividade ou o trabalho que veio a seguir e assim se continua até recordar toda a sessão. A tarefa da semana poderá consistir em compilar pontos de vista diferentes sobre um mesmo fato com base em notícias da imprensa ou alguma leitura.

SEXTA SESSÃO: COMPREENDER MEDIADORES E MEDIADORAS

OBJETIVOS
- Desenvolver o próprio perfil de mediador.
- Adquirir os recursos para conduzir um processo de mediação.

COMPETÊNCIAS
Dominar os recursos próprios do mediador: gestão das emoções (criar empatia, revelar, moderar), comunicação eficaz (escutar, parafrasear, esclarecer, reformular, resumir), pensamento alternativo (inovar, imaginar) e geração de consenso (criar acordo, pactuar, revisar).

CONTEÚDOS
- Que técnicas os mediadores usam? – Criar empatia, refletir, parafrasear, esclarecer, resumir, reformular, delimitar, cooperar, imaginar, criar consenso, pactuar, aplicar, revisar.
- Que valores promovem? – Compreensão, fortalecimento, cooperação, justiça.
- Como são os mediadores? – Perfil do mediador.
- O que é mediação conjunta? – Características da comediação.

ATIVIDADES
- *Mostrar empatia.* Um voluntário conta uma situação que o preocupa, entristece, enfurece etc. e o resto do grupo demonstra empatia por ele. Deve-se escutar essa pessoa atentamente, repetir algumas de suas palavras e ligar-se emocionalmente a ela. Mas é preciso ter o cuidado de não julgá-la, evitando a

qualquer custo manifestar antipatia ("não gostei do que você disse") ou simpatia ("gostei do que você disse"). O mediador limita-se a mostrar compreensão e interesse por aquilo que as partes conflitantes relatam, a fim de que se sintam acolhidas.
- *Refletir as emoções.* No início da mediação, pergunta-se às pessoas em conflito como se sentem, para que possam revelar suas emoções. Aí, a técnica que os mediadores usam consiste em fazer-se de espelho, dando nome às emoções que captam: vejo que você se sente frustrada; parece que você está indignada com o que aconteceu; eu diria que agora você está desconfiado etc. Como as emoções são captadas sobretudo pelos componentes visuais (gestos, expressões, postura) e orais (tom e volume de voz, respiração) da linguagem, mais ainda do que pelas palavras, pode-se praticar o reconhecimento de emoções por meio da mímica. Alguém pensa numa emoção e a representa à frente dos demais, que devem denominá-la.
- *Parafrasear as mensagens.* Mais uma vez, voluntários explicam brevemente um conflito real ou imaginário. Agora, trata-se de praticar a paráfrase ressaltando três aspectos ao devolver a mensagem: primeiro, pôr as palavras na boca de quem falou; segundo, "limpar" a linguagem, recorrendo à descrição dos fatos com termos claros e precisos, sem qualificações; terceiro, o mediador pergunta se o seu entendimento foi correto. A fórmula seria: "Se entendi bem, você disse que o que aconteceu foi... Certo?" Esse padrão pode ir variando: "Ao que parece, segundo o seu ponto de vista, pelo que você conta... Foi assim? Está certo? Entendi bem?" Com a paráfrase, capta-se a percepção que cada parte tem do conflito e se consegue que ambas se sintam escutadas e se escutem (sem gritos, insultos, acusações).
- *Esclarecer os pontos de vista.* Agora se deve analisar o conflito a fim de passar de posturas (aquilo que se exige) a interesses (aquilo que na verdade importa) e captar qual é o verdadeiro

cerne do conflito. Para tanto, o mediador formula perguntas abertas do tipo: você poderia especificar esse aspecto? Ao dizer isso, a que você se refere exatamente? Para que eu entenda bem, você descreveria para mim o que ocorreu quando...? Pode me contar mais sobre...?

No momento da resposta, pede-se que tentem falar em primeira pessoa de modo afirmativo, para evitar acusações e ataques inúteis, e a mensagem deve centrar-se em si mesmo: "eu, quando... eu me sinto... eu gostaria de..." Para praticar o esclarecimento e a assertividade, funcionam muito bem as adivinhas, como: "Um senhor mora no sótão e sempre desce de elevador e sobe pelas escadas, a não ser nos dias de chuva, quando sobe e desce de elevador. Por quê?" (Porque é muito baixo e só alcança o botão do sótão com a ajuda do guarda-chuva.)

Outra opção seria: alguém encarna uma personagem famosa (Cleópatra, Dalí, Rosa Parks) e os outros devem fazer-lhe perguntas para adivinhar quem é: "Pode dizer como você ficou famoso?" "Como são as coisas na sua época?" "Para o entendermos melhor, o que você costuma fazer em um dia comum?"

- *Reavaliar o conflito.* Para explorar o conflito de outro ângulo ou acrescentar algum detalhe que abra o espaço necessário a fim de encontrar uma saída para ele, recorre-se a perguntas circulares ou imaginativas. Essas perguntas exploram o passado, o futuro e outras opções: como era a relação de vocês antes do conflito? O que você gostaria que não tivesse acontecido? O que lhe faltava? Como seriam as coisas se...? O que você acha que aconteceria se...? Como isso poderia acabar se...? De que você precisaria para...? E se..., o que você acharia? O que teria de acontecer para que você...?

A reavaliação serve para desemaranhar o conflito e começar a construir uma história alternativa e plausível, identificando claramente as questões que se quer resolver.

Para praticar, pode-se recorrer a histórias populares, a fim de explorar outros finais possíveis, fazendo perguntas circulares aos protagonistas. Por exemplo: Branca de Neve e a Madrasta, o Lobo e os três porquinhos, Cachinhos de Ouro e os três ursos, Cinderela e as meias-irmãs, Chapeuzinho Vermelho e o Lobo, a Pequena Sereia e o Príncipe, o Pequeno Polegar e seus pais, o Patinho Feio e os cisnes etc. No final, pode ser divertido conversar sobre as mudanças feitas e as opções que se abriram em cada um dos contos.

- *Delimitar a situação.* Neste momento, trata-se de resumir o conflito de maneira simples e descritiva. Alguns exemplos: "Parece que temos um desacordo a respeito de..." "O que nos interessa resolver é..." A síntese deve conter os elementos que integraram a programação de trabalho. A seguir, as partes são cumprimentadas pelo trabalho realizado até o momento, uma vez que uma melhor compreensão do que está em jogo é um grande passo na direção certa.

Somente no caso de não se avançar, este pode ser um bom momento para realizar uma brevíssima reunião particular com cada parte. Nela, o mediador expõe abertamente o que percebeu – por exemplo: revela a impressão de que há alguma questão importante da qual não se disse nada; diz que parece não haver cooperação; menciona uma atitude ameaçadora; acha que não se está lutando pelos próprios interesses; parece que se leva a mediação na piada... Logo a seguir, decide-se se o que foi discutido será levado ou não à mesa de mediação.

Aproveita-se a atividade anterior e agora, muito sinteticamente, cada grupo resume a situação e aponta as questões que apresentaria para que o conto tivesse um final amistoso. No caso do Lobo e dos três porquinhos, poderiam ser: ter uma casa segura, conseguir comida para o Lobo etc. Talvez a solução fosse o Lobo comprovar a resistência da casa para que os porquinhos ficassem tranquilos e estes, por sua vez, convidassem o Lobo para lanchar com eles.

- *Promover a cooperação.* Obtém-se a cooperação associando duas estratégias, principalmente. A primeira é o uso de linguagem inclusiva pelo mediador (nós, cremos, nos interessa, vamos fazer...) e a segunda consiste em pedir a cada parte que se ponha no lugar da outra por um momento e explique como, então, vê a situação. Esse exercício serve para delegar poder às partes por meio de seu reconhecimento e revalorização (aquilo que implícita ou explicitamente admite e valoriza a outra pessoa). Por exemplo, Cinderela na pele da Madrasta: "Tive uma vida muito difícil criando sozinha as minhas filhas, que para mim vêm em primeiro lugar. Tenho medo de que o pai da Cinderela não as queira como quer à filha". Aqui o mediador diria: "Você se considera uma boa mãe, que trabalhou duro por suas filhas e receia que não recebam o mesmo amor de seu novo marido, é isso?" Assim, a reconhecemos e fortalecemos para que, quando o medo for superado, possa dividir seu amor com Cinderela. A Madrasta, no papel de Cinderela, diria: "Sou uma menina esperta e formosa, mas a vida me fez sofrer. Perdi minha mãe, e meu pai é tudo que tenho. Por isso não gosto que tenha casado de novo e tenha me deixado na casa de gente estranha". Observa-se que a Madrasta reconheceu a dor de Cinderela pela perda da mãe e por uma situação nova que ela não escolheu. Além disso, deixou entrever que a considera inteligente e bonita.

  A partir desse instante, as partes do conflito já poderão conversar diretamente – até aqui, sempre se dirigiram ao mediador.
- *Imaginar soluções.* A técnica mais bem-sucedida é a da chuva de ideias. Escolhe-se um tema da programação e cada parte dá ideias alternadamente para resolver essa questão. Essas ideias devem ser imaginativas, diferentes, criativas, e nunca são comentadas nem criticadas. Para praticar, começa-se do tema de Cinderela e da Madrasta: amor da mãe e do pai por todas as filhas, organização da vida em casa, convivência entre as irmãs e relação com o príncipe. A chuva de ideias é feita com

esses quatro pontos. Cada grupo pode continuar a praticar com a sua história.
- *Formar o consenso.* Prosseguindo com as ideias geradas, agora se eliminam as menos interessantes ou as que não vão ter efeito. Assim que a lista for reduzida, combinam-se as propostas compatíveis de uma parte com as da outra, criando uma solução conjunta: "Repartiremos a lista de tarefas de modo que cada uma das irmãs escolha uma", ou "realizaremos as tarefas em rodízio para que aprendamos a fazer todas", ou "o pai contratará uma pessoa que fique em casa, dando tempo às filhas para que se conheçam melhor e se relacionem em outras atividades", "as tarefas serão remuneradas", ou "todas faremos tudo, cooperando na mesma tarefa"... Pratica-se com os outros temas.
- *Fazer o pacto.* Agora, chegou o momento de fazer um bom pacto. A tarefa do mediador é buscar pontos em comum, conseguir flexibilizar as exigências, fazer concessões e redigir com precisão os compromissos alcançados, indicando também se não houve acordo em algum ponto. A seguir, deve pedir a cada parte que repita o pacto, para comprovar que o entendem bem e digam se ele é verdadeiro e justo.

Se, no exemplo anterior, se opta por realizar as tarefas em rodízio, o pacto tem de descer ao detalhe – todas farão todas as tarefas durante uma semana e as permutarão na semana seguinte: Cinderela será a primeira a cozinhar, a irmã mais velha lavará a roupa e a mais nova limpará a casa. A tarefa de cozinhar consiste em preparar o almoço e o jantar para toda a família, de acordo com os cardápios elaborados pela mãe. Por outro lado, o café da manhã é preparado por cada uma. A tarefa de lavar a roupa envolve duas mudas por pessoa na semana e o pijama; se alguém sujar mais roupa, deverá lavá-la. A limpeza da casa abrange varrer todos os cômodos e tirar o pó, de modo que ao longo da semana se terá passado pelos quartos de dormir, pelo banheiro, pela copa, pela sala de estar e pela sala de

entrada – mas arrumar os objetos é de responsabilidade de quem os usa. Na segunda semana, Cinderela lava, a irmã mais velha limpa e a mais nova cozinha, e assim sucessivamente.
- *Aplicar.* Dá-se um tempo para que se ponha em prática a estratégia acordada de solução do conflito, que varia conforme o teor. No exemplo anterior, deveriam passar-se três semanas.
- *Revisar.* Convida-se a todos a uma última sessão de mediação para avaliar em que ponto se encontra o conflito. Se necessário, faz-se algum ajuste ou se introduzem mudanças. As partes são cumprimentadas pelo bom trabalho realizado, lê-se para elas a ata ou o histórico da mediação e tanto mediadores como protagonistas do conflito o assinam, dando o conflito por encerrado. Também se pode pedir às partes que respondam a um breve questionário sobre o processo e a atuação dos mediadores.

ENCERRAMENTO DA SESSÃO

Minha bandeira de mediador: em meia folha, cada pessoa desenha e pinta as características pessoais que pensa ter para ser uma boa mediadora. Outra opção consiste em todos criarem uma grande bandeira para colocá-la na futura sala de mediação (no Capítulo 5 comenta-se a respeito das qualidades da figura do mediador). Constata-se que o trabalho com a mediação conjunta ou comediação é muito vantajoso: dá segurança, soma qualidades, permite a aprendizagem mútua e ajuda a conduzir o processo com tranquilidade. A tarefa da semana consiste em treinar as diferentes técnicas informalmente em qualquer situação que se apresente.

SÉTIMA SESSÃO: O QUE ACONTECEU CONOSCO?

OBJETIVOS
- Desenvolver competências socioemocionais.
- Adquirir os recursos para conduzir um processo de mediação.

COMPETÊNCIAS

- Acolher as pessoas em conflito e concentrá-las no trabalho que será realizado, explicando com clareza em que consiste a mediação.
- Expor as regras para que o processo de mediação possa transcorrer sem atropelos e os participantes saibam a todo momento o que se espera deles e o que podem esperar dos mediadores.
- Dominar os recursos próprios do mediador: gestão das emoções (criar empatia, revelar, moderar), comunicação eficaz (escutar, parafrasear, esclarecer, reformular, resumir), pensamento alternativo (inovar, imaginar) e geração de consenso (criar acordo, pactuar, revisar).

CONTEÚDOS

- Como transcorre um processo de mediação? – Primeira fase do processo: o que aconteceu conosco?
- Que técnicas os mediadores usam? – Criar empatia, refletir, parafrasear, esclarecer, resumir, reformular, delimitar, cooperar, imaginar, criar consenso, pactuar, aplicar, revisar.
- Que valores promovem? – Compreensão, fortalecimento, cooperação, justiça.

ATIVIDADES

- *O primeiro passo.* Questiona-se se chegou o momento de ensaiar o processo de mediação com um *role-playing*. São mantidos os grupos de cinco pessoas que propuseram conflitos diferentes na quarta sessão, mas tais conflitos são trocados, de modo que nenhum grupo fique com aquele com que já trabalhou. Os papéis devem ser distribuídos: dois mediadores, duas partes do conflito e um observador. Entrega-se um roteiro desta fase em um papel ou se projeta o roteiro numa tela.

A dinâmica da sessão consiste em trabalhar essa fase em grupos de cinco, com diferentes conflitos, e ir permutando os papéis de mediador, observador e parte implicada.

O QUE ACONTECEU CONOSCO?
1. Olá! Meu nome é... e sou mediadora.
2. Bom dia! Eu me chamo... e sou mediador.
3. O nome de vocês é...
4. Sejam bem-vindos!
5. Queremos começar felicitando-os por terem escolhido a mediação para resolver suas diferenças.
6. Nós não vamos julgá-los nem criticá-los, tampouco daremos conselhos. O que faremos é ajudá-los a encontrar uma boa solução para o que os preocupa.
7. A mediação é confidencial e nada do que disserem sairá daqui, a não ser que percebamos que há algum perigo ou problema muito grave que não possamos solucionar, e então pediremos ajuda.
8. Para que a mediação funcione, precisamos que falem cada um por vez, sem interrupções, contem o que aconteceu sem ofender e, chegado o momento, tenham propostas para solucionar o problema.
9. Conseguem cumprir essas normas?
10. E você, consegue escutar sem interromper, falar sem ofender e dar soluções?
11. Muito obrigado! Essas normas são muito importantes e devem ser respeitadas sempre.
12. Quem quer contar para nós o que aconteceu?
13. Você disse que o que aconteceu foi..., certo?
14. Obrigado. Por favor, quer nos contar o que aconteceu?
15. Sim, compreendemos. Sua opinião é de que... É isso?
16. Como essa situação o faz se sentir?
17. Parece que você se sente... Certo?
18. E você, como o que aconteceu o afeta?
19. Sim, entendemos bem. Você se sente..., não é?
20. Querem acrescentar algo?
21. Gostaríamos de lhes pedir mais informação sobre...
22. O que você disse é que... Entendemos bem?
23. Poderia esclarecer melhor...?
24. Então, seu ponto de vista é de que... Correto?

Ao final de cada dramatização, a pessoa que observa dá sua opinião, enquanto o formador ou a formadora anima, dá pistas, intervém e, se detecta erros comuns, para um instante a encenação para esclarecer ou reforçar algum conceito ou técnica.

ENCERRAMENTO DA SESSÃO

Para terminar a sessão, conversa-se sobre os erros mais comuns cometidos. Também é um bom momento para analisar uma mediação gravada (há exemplos no YouTube) e ir comentando os passos e as técnicas que os mediadores utilizam.

Pode-se indicar alguma leitura para a semana – por exemplo, o quarto capítulo deste livro ou outros exemplos de manual para conduzir o processo de mediação passo a passo.

OITAVA SESSÃO: EM QUE NOS INTERESSA?

OBJETIVOS
- Desenvolver competências socioemocionais.
- Adquirir os recursos para conduzir uma mediação.

COMPETÊNCIAS
- Delimitar o conflito mais uma vez, com base nos verdadeiros interesses em jogo, e elaborar uma programação com os temas principais que se deseja resolver.
- Dominar os recursos próprios do mediador: gestão das emoções (criar empatia, revelar, moderar), comunicação eficaz (escutar, parafrasear, esclarecer, reformular, resumir), pensamento alternativo (inovar, imaginar) e geração de consenso (criar acordo, pactuar, revisar).

CONTEÚDOS
- Como transcorre um processo de mediação? – Segunda fase do processo: em que nos interessa?
- Que técnicas os mediadores usam? – Criar empatia, refletir, parafrasear, esclarecer, resumir, reformular, delimitar, cooperar, imaginar, criar consenso, pactuar, aplicar, revisar.
- Que valores promovem? – Compreensão, fortalecimento, cooperação, justiça.

ATIVIDADES

O segundo passo. Depois de explorado o passo do conflito, os mediadores se concentram no presente.

EM QUE NOS INTERESSA?
1. De que você precisa para sair dessa situação?
2. Parece que o que lhe interessa é... Certo?
3. E você, por que situação você acha que teria de passar para que isso se resolvesse?
4. Pelo que diz, você precisaria de... É isso?
5. Vamos imaginar por um momento que pudéssemos voltar ao passado; você faria algo diferente?
6. Entendo que o que você gostaria de mudar é... Está certo?
7. Vocês podem se pôr um no lugar do outro e falar como se fossem o outro?
8. Então, você pensa que... Não é?
9. O que poderia acontecer se não encontrássemos uma solução?
10. O ruim, segundo você, seria que... É isso?
11. Resumindo, o que acontece é que... e por isso nos interessa...
12. Parabéns pelo trabalho que fizeram. Agora já entendemos melhor o que ocorreu e sabemos de que temas trataremos para solucioná-lo.

A dinâmica dessa sessão é idêntica à da anterior, já que se pretende treinar técnicas diferentes para interiorizar cada um dos passos a seguir.

ENCERRAMENTO DA SESSÃO

Conversa-se sobre as dificuldades e reforçam-se algumas técnicas. Como na sessão anterior, pode-se assistir com olhos críticos a uma mediação gravada. Recomenda-se aos participantes da oficina que continuem a praticar por conta própria as várias técnicas para consolidá-las.

NONA SESSÃO: COMO SOLUCIONAMOS?

OBJETIVOS
- Desenvolver competências socioemocionais.
- Adquirir os recursos para conduzir um processo de mediação.

COMPETÊNCIAS
- Estimular a criatividade e a cooperação entre as pessoas em conflito para que proponham saídas diferentes para a situação.
- Ressaltar e promover nelas a interdependência positiva, o futuro comum, o reconhecimento e a valorização mútua.
- Traçar um plano de ação realista que exponha claramente os compromissos e as ações que serão empreendidos por cada um.
- Dominar os recursos próprios do mediador: gestão de emoções (criar empatia, revelar, moderar), comunicação eficaz (escutar, parafrasear, esclarecer, reformular, resumir), pensamento alternativo (inovar, imaginar) e geração de consenso (criar acordo, pactuar, revisar).

CONTEÚDOS
- Como transcorre um processo de mediação? – Terceira fase do processo: como solucionamos?
- Que técnicas os mediadores usam? – Criar empatia, refletir, parafrasear, esclarecer, resumir, reformular, delimitar, cooperar, imaginar, criar consenso, pactuar, aplicar, revisar.
- Que valores promovem? – Compreensão, fortalecimento, cooperação, justiça.

ATIVIDADES
Os conflitos trabalhados nas sessões precedentes são aproveitados para treinar a parte final da mediação. Também se comenta que o roteiro varia de um conflito ao outro e que podem ser utilizadas expressões diferentes – o que importa é compreender qual objetivo se persegue em cada etapa da mediação. Caso se ache necessário,

podem ser realizadas mais sessões de treinamento mediando conflitos detalhadamente e avaliando as competências da equipe.

> **COMO SOLUCIONAMOS?**
> 1. Temos estes temas na mesa. Se aceitarem, vamos começar por...
> 2. Pedimos que cooperem para encontrar uma boa solução para ambos. O que vocês têm de fazer é encontrar tantas soluções quanto conseguirem e a seguir veremos se há alguma que nos sirva.
> 3. Muito bem! Temos várias opções. Primeiramente, vamos eliminar aquelas de que não gostamos. Alguma delas parece que vai funcionar para vocês?
> 4. Perfeito! Agora ficamos com duas opções interessantes. Qual é a melhor para vocês?
> 5. Estão dispostos a...?
> 6. Acham que assim o problema seria resolvido?
> 7. Conseguem pôr isso em prática?
> 8. Então, concordamos que faremos...
> 9. Podem resumir o acordo?
> 10. Vamos redigir o histórico da mediação e no próximo encontro o assinaremos, está bem?
> 11. Quando nos veremos de novo para avaliar se o problema se resolveu?
> 12. Muito obrigado!
> 13. Cumpriram sua parte do acordo?
> 14. Como vão as coisas entre vocês?
> 15. Se vocês enfrentassem um problema parecido, o que fariam de diferente?
> 16. Lemos a ata da mediação. Podem assiná-la?
> 17. Também gostaríamos de conhecer a opinião de vocês sobre a mediação. Por favor, podem responder a este questionário? Muito obrigado!
> 18. Se precisarem de qualquer outra coisa, estamos à disposição.

ENCERRAMENTO DA SESSÃO

Em uma folha de papel grande, escrevem-se os três passos principais da mediação e pede-se aos participantes da oficina que acrescentem tudo que sabem de cada um para elaborar um mapa conceitual do processo. Como tarefa, passa-se a limpo o mapa conceitual, para colá-lo na parede da sala de mediação, onde servirá de apoio visual a mediadores e mediadoras.

DÉCIMA SESSÃO: INAUGURAR O SERVIÇO DE MEDIAÇÃO

OBJETIVOS
- Frisar a importância de desfrutar um bom clima de convivência.
- Rechaçar a violência e promover ativamente a cultura de paz.

COMPETÊNCIAS
- Engajar-se para obter um clima de convivência seguro, saudável, inclusivo e justo para todas as pessoas da escola.
- Rechaçar qualquer tipo de violência e praticar os valores da gestão positiva de conflitos e da cultura de paz.

CONTEÚDOS
- Como se executa o serviço de mediação na escola? – Divulgação do serviço de mediação. Organização e funcionamento. Registro de conflitos mediados.
- Renovação e ampliação do serviço de mediação.

ATIVIDADES
Nesta sessão, trabalharemos como uma empresa que lança um produto novo no mercado. Serão formadas equipes diferentes:

- *Equipe de publicidade e marketing.* A tarefa é planejar uma estratégia para divulgar a mediação. Podem trabalhar no roteiro de uma dublagem, pensar num *slogan* etc. Uma técnica interessante pode ser preparar um *elevator speech*, ou seja, uma apresentação da mediação pelo tempo que dura uma conversa no elevador (30-60 segundos), usando um padrão deste tipo: "Você notou que na escola há problemas que ninguém resolve? Eu me formei mediadora para ajudar as pessoas que têm um conflito sem repreendê-las nem lhes dizer o que fazer. Acabamos de abrir o serviço de mediação e é só preencher um formulário e colocá-lo na caixa própria para isso, e eu mesma ou outro mediador cuidaremos do caso". A

seguir se distribui um cartão ou um formulário de inscrição. A vantagem dessa fórmula é que em pouco tempo se informa que a mediação pode começar.
- *Equipe de recursos humanos.* Formam-se as duplas de comediadores, combina-se o horário de funcionamento do serviço e se prepara um calendário para saber quando as duplas estarão disponíveis etc. Pode-se redigir um perfil e um breve currículo de cada um e adicionar fotos.
- *Equipe de logística.* A tarefa deste grupo é preparar a sala de mediação e o material necessário para mediar um conflito: folhas de papel, esferográficas, caixa para as solicitações, formulário para pedir uma mediação, ata ou histórico da mediação, mesa e cadeiras, cartazes etc. Deve-se desenhar uma linha com todos os passos, do momento em que ocorre o conflito até a sua solução (conflito, solicitação, atribuição, agendamento, mediação, revisão), e verificar que se providenciou tudo que era necessário para o bom desenvolvimento de cada um.
- *Equipe de direção.* Formada pela coordenação e por um representante de cada uma das equipes. Sua função é passar aos outros grupos as tarefas e centralizar o trabalho, cuidando para que tudo se encaixe com perfeição e nenhum aspecto deixe de ser atendido. Seus membros agem em conjunto e também decidem sobre os tipos de conflito que serão mediados ou não e quem pode pedir uma mediação. Essa equipe será a força motriz da prática, convocará as reuniões de mediadores no futuro e atuará como interlocutora com a escola.

ENCERRAMENTO DA SESSÃO

Avalia-se se tudo está sob controle e elabora-se uma programação de trabalho. Também é um momento excelente para um lanchinho e para distribuir o "diploma de participação" no curso ou na oficina de mediação.

Terminada a etapa de formação propriamente dita, começa-se a testar na escola as competências adquiridas pelos membros da equipe de mediação. O percurso entre a solicitação de mediação e sua realização tem de ser fácil e rápido. A coordenação centraliza as demandas e as distribui às duplas de mediadores, ao mesmo tempo que comunica a data e o horário da mediação. A sala deve estar preparada para que os mediadores tenham à mão um roteiro e se assegurem de seguir os passos corretamente e papéis para registrar cada encontro.

Em paralelo, são mantidos todos os tipos de atividade informativa para que a comunidade escolar saiba que pode pedir uma mediação. O que funciona melhor é que os professores encaminhem os que têm um conflito a uma primeira reunião informativa com os mediadores, ainda que depois prefiram resolver o problema por outros meios. O boca a boca também contribui enormemente para ampliar o serviço de mediação e lhe dar prestígio na escola.

A coordenação, além de receber as solicitações e distribuir os casos, está disponível para quaisquer dúvidas e consultas e guarda os registros das mediações. Quando termina o período de prática, efetua um balanço do número de casos mediados, dos tipos de conflito, da idade e do sexo dos participantes, acordos obtidos e grau de satisfação, entre outras questões que interessem.

Se o período de experimentação é amplo, pode-se convocar uma breve reunião mensal para atender a consultas dos mediadores e corrigir, se necessário, algum aspecto passível de melhora.

14. Avaliação, manutenção e expansão

As COMPETÊNCIAS DESENVOLVIDAS na oficina de mediação são complexas e estão ligadas à vida e aos desafios exigidos pelo fato de se viver com outras pessoas, compartilhando o tempo e o espaço da escola durante muitas horas diárias e ao longo de vários anos.

O objetivo da avaliação é detectar o tipo de apoio necessário para melhorar a atuação individual de cada mediador e do serviço de mediação como um todo.

Portanto, a retroalimentação é considerada imprescindível para a autorregulação e a autonomia da equipe de mediação e deve partir de situações autênticas, ou seja, o mais próximas possível da realidade. Obviamente, o ideal seria que a pessoa que ministrou a oficina ou outro mediador experiente participasse de uma mediação real e pudesse fazer anotações para avaliar o desempenho dos mediadores e seu perfil. Quando isso não é possível, pode-se recorrer à dramatização, a uma gravação (de caso real ou encenado) ou a um portfólio em que cada mediador apresenta três casos em que interveio, descrevendo seu desempenho e refletindo sobre ele.

Ao passar nessa fase prática, a pessoa obtém o diploma de mediador (não mais de participante da oficina), porque assim se comprova que ela participou da formação a contento.

Nem todos os que participam da oficina recebem essa distinção. Para melhorar seu desempenho, eles podem formar por um tempo uma dupla com um mediador experiente ou buscar outros meios de reforçar suas competências antes de se submeterem a uma prova.

No momento de avaliar o serviço de mediação, cada escola pode estabelecer indicadores quantitativos, qualitativos e de satisfação, do tipo daqueles propostos aqui. O objetivo, agora, é obter dados tanto sobre o funcionamento do serviço e o que ele representa para a escola como para fundamentar a prestação de contas no fim do ano letivo e as decisões para o ano seguinte. Certamente haverá acertos e erros, pontos fortes e fracos, possibilidades por explorar e desafios por superar. Também pode ser muito útil para detectar impedimentos, obstáculos ou dificuldades, se houver.

INDICADORES QUANTITATIVOS

- Atividade: número de mediações anuais realizadas.
- Comparação: proporção de mediações e punições na escola.
- Tipos de conflito: classificação por boatos, insultos, brigas, mentiras etc.
- Participantes: garoto, garota, idade, ano, adulto, posição na escola.
- Duração: cálculo do tempo médio de solução de um conflito.
- Resultado: acordos e casos sem resolução.
- Período: conflitos mediados por mês.
- Continuidade: tempo de funcionamento do serviço.
- Composição da equipe: mediadores por setor, idade, sexo, ano letivo.
- Anos de experiência: tempo de cada mediador na equipe.
- Apoio: aliados, recursos obtidos e carências detectadas.
- ...

INDICADORES QUALITATIVOS

- Local de escuta: as pessoas se sentiram escutadas, atendidas; houve empatia.

- Sigilo: o teor da mediação foi sempre sigiloso.
- Crescimento pessoal: a mediação ajudou a aperfeiçoar valores, a compreensão de si mesmo, a aceitação da frustração.
- Solução obtida: tipos de acordo.
- Cumplicidade: colaboração do serviço de mediação, da coordenação pedagógica, da comissão de convivência e das tutorias na melhora da convivência.
- Transformação e mudança: identificação de elementos que foram modificados na dinâmica da escola graças à presença da mediação.
- Aprendizagem para a vida: competências introduzidas no currículo e promovidas entre os alunos.
- Estratégias para o corpo docente: instrumentos adquiridos; recursos para a gestão do grupo.
- Determinação: responsabilidade na manutenção da convivência; grau de determinação com que se atende e se participa da mediação.
- Convivência: implementação dos valores da paz.
- ...

INDICADORES DE SATISFAÇÃO DE 360°

- Opinião dos mediadores: o que aprenderam; como se sentiram; o que se deve melhorar etc.
- Opinião dos que solicitaram uma mediação: como foram atendidos; a solução efetiva do conflito; sua satisfação; a adequação de local e horário; se recomendariam a mediação aos seus pares etc.
- Opinião da equipe docente: utilidade da mediação; funcionamento geral; envolvimento da tutoria; mudanças observadas no clima de convivência; aspectos para melhorar etc.
- Opinião dos alunos: grau de conhecimento do serviço; avaliação geral; algo de que sentiram falta; necessidades etc.

- Opinião das famílias: grau de conhecimento do serviço; avaliação geral etc.
- ...

No final, redige-se um informe breve, mas bem documentado que mostre os efeitos do programa de mediação na escola e proponha seu enfoque e orientação no futuro.

RECURSOS DE MANUTENÇÃO

Nos capítulos anteriores, mostramos que o desenvolvimento da mediação escolar pode ser muito superficial ou realmente penetrante, o que já recomenda sua consolidação no contexto escolar. Dito isso, todas as escolas enfrentam a necessidade de dispor de programas de mediação duradouros e, portanto, sustentáveis. Nesta seção, mencionaremos os recursos que possibilitam que a mediação faça parte da escola permanentemente.

Em primeiro lugar, é importante assegurar que a mediação seja uma atividade de prestígio na escola. Se não ocorrer dessa maneira, deve-se trabalhar para consegui-lo, selecionando bem os mediadores, oferecendo uma formação interessante e motivadora, concedendo algum privilégio, convidando mediadores de outra escola ou preparando uma visita, dedicando um bom espaço para a sala de mediação, submetendo a experiência a prêmios ou levando-a à internet, entre outras.

De outro lado, deve-se prever a renovação dos mediadores destacados e sua formação, contando com os alunos mais capazes para preparar os seguintes, abrindo um período de apresentação de candidaturas para que cada mediador escolha outro, estabelecendo níveis de preparação (principiante, especialista, assessor) ou convidando palestrantes.

A função de coordenador é fundamental, e por isso, antes de se sair dela, convém preparar um substituto.

A organização e a participação em reuniões de mediação na área também contribuem para a manutenção da equipe. Geralmente, são dias de mediação escolar, mas podem ser de mediação comunitária ou outras especialidades, uma vez que os mediadores escolares contribuem diretamente para o uso social da mediação.

Sempre vale a pena colher novas adesões, sejam de estudantes, famílias, professores, seja no bairro, na orientação educacional, em entidades de mediação etc. Portanto, é necessário cuidar desses setores – para dar alguns exemplos, informando-os periodicamente, compartilhando os êxitos, convidando-os a participar de uma oficina. Assim se capta o potencial oculto de diversas pessoas da escola, encontram-se bons músicos que podem compor uma melodia, artistas plásticos, advogados ou outros indivíduos com múltiplas aptidões, que podem contribuir para aperfeiçoar as atividades da equipe de mediação.

Os meios de divulgação locais geralmente aceitam apresentar experiências que ocorrem na comunidade. Com isso, os mediadores podem ter uma presença mais ou menos constante em programas de rádio e televisão da cidade.

Atualmente, fala-se de adaptabilidade ou facilidade quando se trata de reproduzir uma experiência. Portanto, simplificar a estrutura funcional do programa de mediação é outro elemento a ser considerado em sua manutenção. Pouco a pouco, então, as soluções mais simples e eficazes devem ser preservadas. Além disso, um projeto sempre pode ser relançado e fortalecido por meio de uma campanha que o destaque.

EXPANSÃO

Como vimos, o programa de mediação não termina simplesmente com a solução de conflitos, pois sua tarefa é garantir a boa convivência e ampliar a cultura de paz na escola. Portanto, as equipes de mediadores assumem tarefas muito diversas –

observadores da convivência, forças de paz, acolhimento e apoio a novos parceiros, planejamento de atividades para a tutoria, participação em festas, projeto de jogos de convivência, lançamento de campanhas, prêmios ou concursos, representação de peças teatrais, publicação em blogue ou revista, vínculo com experiências na vizinhança, identificação de novos mediadores e um enorme etcétera.

À medida que a escola evolui, a mediação também evolui – e seu raio de ação alcança todas as competências relativas ao aprendizado de ser e viver juntos. Em seguida, trabalha-se com base na liderança compartilhada por todos os setores da comunidade educacional, com participação decisiva dos alunos.

Se compararmos a mediação com um cometa, veremos que a cabeleira brilhante e veloz atinge diretamente os conflitos que inquietam a escola, lançando luz sobre eles e dando-lhes uma saída positiva em que todos ganham. Mas o mais relevante no cometa é sua cauda, muito mais comprida e igualmente brilhante, devido a inúmeras moléculas que contêm o germe de uma escola melhor.

Os programas de mediação que perdem o dinamismo acabam diluindo-se. Às vezes, parece que não existem mais conflitos na escola para mediar, o que, embora duvidoso, deveria ocasionar um salto decisivo no bem-estar das pessoas. Porque, no início, são apurados apenas os conflitos com violência direta (insultos, golpes, boatos, inveja, brigas, ameaças, provocações), enquanto se deixam de lado os confrontos sustentados por formas de violência estrutural ou cultural que uma equipe forte, tendo o apoio da escola, poderia ousar enfrentar.

Todas as escolas são imperfeitas e têm normas que nem sempre podem ser consideradas justas, pois tendem a apoiar umas pessoas mais do que outras. Quando se dispõe de instrumentos para o diálogo, o entendimento e a concordância, fica mais fácil pôr na mesa aspectos da organização escolar que talvez seja bom mudar. Aqui, a função da equipe mediadora não é denunciar nem atacar ou reivindicar, mas analisar o caso, reunir e escutar todos os pontos de vista, identificar a margem de consenso e escrever uma proposta para submetê-la a discussão e, se for boa, aceitá-la. Ainda que não se obtenha acordo, o valor da análise do caso reside precisamente no fato de se poder falar sobre tudo, questionar a inércia e aspirar à construção de uma escola melhor e, sobretudo, mais justa.

A violência cultural se assenta em tradições injustas, condutas que se enraizaram nas pessoas, na escola, na cultura e na sociedade e são quase invisíveis aos olhos da maioria. Também é necessário rever esse nível de violência oculta, pois ela contribui para perpetuar barreiras desnecessárias ao progresso da humanidade.

Muitas vezes, a violência cultural e a violência estrutural são aquelas que, nos bastidores, se expressam em atos de violência direta e visível. Assim, quando os mediadores resolvem uma disputa entre duas pessoas, contribuem para acalmar e suavizar a camada mais externa do conflito, o que, a princípio, é positivo, mas não é tudo.

Quando conectamos a esfera do "eu" (existir) à esfera do "nós" (estar) e à esfera da "humanidade" (habitar o mundo), educamos pessoas com grandes habilidades sociais e formamos uma cidadania realmente comprometida com a democracia.

Bibliografia

Álvarez, D.; Álvarez, L.; Núñez, J. C. (orgs.). *Aprender a resolver conflictos: programa para mejorar la convivencia escolar*. Madri: Cepe, 2010.
Alzate, R. *Resolución del conflicto: programa para bachillerato y educación secundaria* (2 vols.). Bilbao: Mensajero, 2002a.
_____. *Análisis y resolución de conflictos: una perspectiva psicológica*. Bilbao: Servicio Editorial de la Universidad del País Vasco, 2002b.
Binaburo, J. A.; Muñoz, B. *Educar desde el conflicto: guía para la mediación escolar*. Barcelona: Ceac, 2007.
Blanco Carrasco, M. *Mediación y sistemas alternativos de resolución de conflictos*. Zaragoza: Talleres Editoriales Cometa, 2009.
Boqué, M. C. *Cultura de mediación y cambio social*. Barcelona: Gedisa, 2003.
_____. *Tiempo de mediación*. Barcelona: Planeta/Ceac, 2005.
_____. *Guía de mediación escolar: programa comprensivo de actividades de 6 a 16 años*. Barcelona: Octaedro, 2007.
_____. *Construir la paz: transformar los conflictos en oportunidades*. Alicante: CAM, 2009.
_____. "La mediación como disciplina y como profesión: el perfil competencial del mediador". In: Castillejo Manzanares, R.; Torrado Tarrío, C. (orgs.). *La mediación, nuevas realidades, nuevos retos: análisis en los ámbitos civil y mercantil, penal y de menores, violencia de género, hipotecario y sanitario*. Barcelona: La Ley, 2013.
Boqué, M. C. et al. *Hagamos las paces – Mediación 3-6 años: propuesta de gestión constructiva, cooperativa y crítica de los conflictos*. Barcelona: Planeta-CEAC, 2003.
_____. *Pensando en los demás: coleción de cuentos y actividades sobre convivencia y gestión positiva de conflictos*. Madri: Almadraba, 2009.
Corsón, F.; Gutiérrez, E. *Mediación y teoría*. Madri: Dykinson, 2014.
De Diego, R.; Guillén, C. *Mediación: proceso, tácticas y técnicas*. Madri: Pirámide, 2009.

De Prada, J. *Mediación escolar: cuaderno para la formación de mediadores escolares*. Madri: Bubok, 2009.

Fernández, B.; Botana, V.; Pereira, M. C. *La mediación paso a paso – de la teoría a la práctica*. Madri: Dykinson, 2013.

García, J. et al. *Mediación en la práctica: manual de implantación de un servicio de mediación escolar*. Copicentro, 2011.

García-Raga, L.; Heras, C. *¿Cómo pueden ayudar las familias a resolver los conflictos en los centros educativos? Aportaciones desde las técnicas de negociación y la mediación a la mejora de la convivencia*. Madri: Ceapa-MEC, 2008.

García-Raga, L.; López Martín, R. *La convivencia escolar: una mirada pedagógica, política y prospectiva*. València: Universitat de Valencia, 2010.

Gorbeña, L.; Romera, C. *Cómo poner en marcha, paso a paso, un programa de mediación escolar entre compañeros/as*. Bilbao: Departamento de Justicia y Administración Pública del Gobierno Vasco, s/d.

Gorjón, F. J.; Sáenz, K. A. C. *Métodos alternos de solución de controversias: enfoque educativo por competencias*. México: Cecsa, 2009.

Ibarrola, S.; Iriarte, C. *La convivencia escolar en positivo: mediación y resolución de conflictos*. Madri: Pirámide, 2012.

Martín, E. *Gestión de conflictos y procesos de mediación*. Antequera: IC Editorial, 2015.

Martínez-Mena, M. *Conflictos y mediación escolar*. Murcia: Proyecto Educa, 2017.

Munné, M.; Mac-Gragh, P. *Los 10 principios de la cultura de mediación*. Barcelona: Graó, 2006.

Pedrinazi, E. *Mediación escolar: dosier de trabajo*. Melilla: GEEPP, 2013.

Pérez, L. *Mediación y resolución de conflictos – Programación: guía didáctica*. Pamplona: Gobierno de Navarra/Departamento de Educación, 2012.

Ponce, J.; Otero, M. *Conflictos escolares: justicia y mediación*. Madri: Reus, 2015.

Prawda, A. *Mediación escolar sin mediadores*. Buenos Aires: Bonum, 2008.

Ramos, C. *El viaje de Anselmo: la convivencia pacífica y la mediación escolar en la educación inicial y primaria*. Buenos Aires: Librería Histórica, 2006.

Rozenblum, S. *Mediación: convivencia y resolución de conflictos en la comunidad*. Barcelona: Graó, 2007.

San Martín, J. A. *La mediación escolar: un camino nuevo para la gestión del conflicto escolar*. Madri: CCS, 2003.

Torrego, J. C. *La ayuda entre iguales para mejorar la convivencia escolar*. Madri: Narcea, 2012.

_____. *Mediación de conflictos en instituciones educativas: manual para la formación de mediadores*. 8. ed. Madri: Narcea, 2017.

URUÑUELA, P. M. *Cómo mejorar la convivencia en los centros educativos: el papel de las familias y las APAs – Guía para familias y manual para el monitor o monitora*. Madri: Ceapa, 2012a.

_____. *Cómo resolver conflictos – Herramientas para prevenir desde las familias y las AMPAs: manual para el monitor y monitora*. Madri: Ceapa, 2012b.

_____. *Trabajar la convivencia en los centros educativos: una mirada al bosque de la convivencia*. 3. ed. Madri: Narcea, 2018.

VÁRIOS AUTORES. *La mediación escolar: una estrategia para abordar el conflicto*. Barcelona: Graó, 2009.

_____. *Gestión positiva de conflictos y la mediación en contextos educativos*. Madri: Reus, 2013.

VEGA, Y. et al. *Gestión de conflictos y procesos de mediación*. Madri: Paraninfo, 2015.

WHATLING, T. *Mediación: habilidades y estrategias*. Madri: Narcea, 2013.

LINKS ÚTEIS

Curso de introdução à justiça restaurativa para educadores. Governo do Estado de São Paulo, Secretaria da Educação do Estado de São Paulo e Ministério Público do Estado de São Paulo, 2012. Disponível em: <http://www.escoladeformacao.sp.gov.br/portais/Portals/84/docs/cursos-concursos/ingresso/supervisor-de-ensino/Manual-Pr%C3%A1tico-de-Justi%C3%A7a-Restaurativa-Minist%C3%A9rio-P%C3%BAblico.pdf>. Acesso em: 4 mar. 2021.

A justiça restaurativa no ambiente escolar – Instaurando o novo paradigma. Ministério Público do Rio de Janeiro, 2016. Disponível em: <https://www.mprj.mp.br/documents/20184/216116/Cartilha_A_Justica_Restaurativa_no_Ambiente_Escolar.pdf>. Acesso em: 4 mar. 2021.

Justiça restaurativa na escola – Formando cidadãos por meio do diálogo. Comissão de Justiça e Práticas Restaurativas do Fórum Permanente do Sistema de Atendimento Socioeducativo de Belo Horizonte, 2018. Disponível em: <https://ciranda.direito.ufmg.br/wp-content/uploads/2018/08/cartilha-nos-versao-final.pdf>. Acesso em: 5 mar. 2021.

Tecendo redes de cuidados – Fortalecimento do sistema de garantia de direitos da criança e do adolescente e práticas de justiça restaurativa. Secretaria de Direitos Humanos da Presidência da República/Centro de Direitos Humanos e Educação Popular de Campo Limpo, 2011-2013. Disponível em: <http://cdhep.org.br/wp-content/uploads/2017/07/cartilha_tecendo_redes.pdf>. Acesso em: 5 mar. 2021.

www.gruposummus.com.br